鄭董事祖玲：

敬請指教

李金萍 敬贈

1997

兼論海外財產申報

李金萍會計師 Lilly C.P. CHEN

加拿大法律叢書系列

CANADIAN LEGAL GUIDE SERIES

如何處理加拿大稅務
MANAGING CANADIAN TAXATION
- 兼論海外財產申報

作　　者 ： 李金萍

責任編輯 ： 遠見出版社

出 版 者 ： 遠見出版社

Vision Business Consulting Ltd.

4455 Union St., Burnaby,B.C.

Canada V5C 4X7

Fax No: 294-8699

印 刷 者 ：鴻柏印刷事業有限公司

台北市汀洲路三段184號6樓之6

版　　次 ： 1997年3月第一版

國際書號： ISBN 1-896783-03-1

Printed and published in Canada

定價加幣23.36元（25元含GST）

自序

「凡事豫則立」，事前充分的資訊可以幫助您做正確的決策，事先良好的規劃，才能確保事半功倍有效地達成預期的目標。

如果您有移民加拿大的打算，在真正付諸行動前，對加拿大的政治、經濟、社會各方面有所了解，尤其是稅務制度、稅率、稅務負擔等，先有相當的認識，應該是非常重要的。這可以幫助您做正確的移民決策，以免事後追悔已來不及了。

如果您已走上了移民之路，已經移民到加拿大，對加拿大稅務制度的了解，更成了當務之急，是實際而又切身的問題。事前完善的稅務規劃，才能使您有效的在合法範圍內節稅省稅。稅務規劃是完全以合法途徑來節稅，在法律的範圍內，您有權利安排您的事務以繳較少的稅。稅務規劃與逃漏稅不同，逃漏稅是蓄意的隱瞞某些所得或虛報某些不應得的扣抵。若逃漏稅查獲後可被課徵利息、罰款甚至判處坐牢，是一種刑事犯罪，不可不慎。

加拿大的稅率很高，法例又極繁複。即使是自幼在加長大的當地人，雖然沒有語言障礙，但由於稅法繁複且變更頻繁，亦大多聘請專業人士代填稅表，付出一點代價，可能節省許多稅款。對於新移民而言，由於語言之隔閡及文化背景的差異，憑一己之力去研究了解加拿大的稅法實非易事。

筆者 1986 年移民加拿大，前三年就讀於卑詩大學（ UBC ），獲企管碩士，於 1989 年取得卑詩省及加拿大之會計師執照。 1993 年初開始正式掛牌執業，四年來承蒙客戶之厚愛，經本會計事務所處理代爲申報之個人所得稅申報表已逾 6000 份，每年代爲記帳、編製財務報表及公司所得稅的大小公司也有百餘家。筆者亦承蒙各社團機構的邀約，經常爲華人社區作演講和座談，或接受報社、電台的訪問。筆者很幸運地有機會接觸許多來自台灣、香港、中國大陸及東南亞的華裔移民，因此對其經常產生的疑慮之處，先入爲主易生誤解之處，特別關心最欲了解之處有較多的認識。本書希望針對移民經常遇上的問題。根據加拿大稅法的規定或稅務局的要求，作深入淺出的解答。並且根據筆者對加拿大稅法的研讀及處理稅務的實務經驗，將一些具體可行的節稅要訣、竅門提供予讀者參考。

本書內容共有七章。第一章對**加拿大之所得稅制度**作一鳥瞰式簡介。第二章講解**個人所得稅申報表**、對加拿大個人所得稅制度下之所得項目。各類抵扣、稅率等有相當詳細的介紹，並對申報海內外所得所需準備之資料及如何計算應繳的個人所得稅款有所探討。第三章講述**投資所得稅務**、涵蓋房地產以外的各種財產所得：主要是利息、股息、資本利得等， 並討論所得分散在稅法上的一些限制、及如何抵減利息的問題等。第四章分析**房地產稅務**，包括租金所得、處置房地產的資本利得、主要住宅以及非居民房地產稅務及房地產的 GST 等。第五章講論**企業稅務**，介紹在加拿大經營企業有關的商業實務及稅務規定、新企業應注意的事項、那些費用可以報銷及如何報銷、個人或公司經營企業的稅率及所得稅申報、購買及出售企業的稅務以及公司資本稅的考慮。另外，由於加拿大很重視勞工保障，經營企業雇用員工時須對勞工之權益、勞資關係之法令有所認識，本章所附的相關法例節譯對經營企業甚有助益。第六章剖析**新移民及回流者之稅務問題**。第七章討論**海外財產申報**，分析海外財產申報要求的背景、資產申報表申報的對象及內容、申報截止日期及罰則等，並且對一些以訛傳訛、誤導誤解加以澄清。

加拿大的稅法不易了解而各種傳聞雜說又特別多，同一件事往往有各種不同版本的說法和解釋。筆者雖然才疏學淺，但深信勤能補拙，積累過去多年對加拿大財務稅務的專心研讀及心無旁騖的緊守於專業崗位，希望能藉此書築一座橋，讓讀者們對加拿大的稅法取得更正確深入的了解與認識。但在此須聲明本書之資料僅供讀者參考，有關細節及應用須諮詢專業會計師或稅務律師，筆者不負法律上的責任。

最後，本書之得以完成要特別感謝我的母親、我的先生和孩子們思穎、衍達和怡霖，謝謝他們對我的愛、支持和鼓勵，以及爲了我寫這本書所犧牲的許多原應共處的時光。寫這本書令我增進了對稅務領域更多的知識，感謝主賜給我智慧和毅力，我願更多仰賴祂。

李金萍

一九九七年三月

目錄

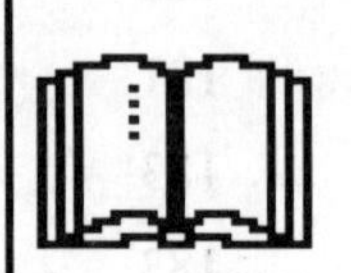

如何處理加拿大稅務

兼論海外財產申報

李金萍

MANAGING CANADIAN TAXATION

- LILLY C P CHEN

第一章

1

加拿大所得稅制度

1.1 稅務居民的定義

1.2 稅務審查及罰則

1.3 稅務評估與上訴

1.4 暫估預繳所得稅款

1.5 紙張及電子報稅

1.6 專業報稅服務

第一章

加拿大所得稅制度

本書的編寫目的是爲讀者介紹加拿大的稅務制度，如何申報及如何規劃；加拿大稅務中最重要的部份是所得稅。放眼現今世界各國，凡工業先進的國家，所得稅幾乎都是政府最主要的財務來源，也是國家經濟社會政策的重要工具。

加拿大所得稅制度法律奠基於加拿大的所得稅法（ INCOME TAX ACT ），該法案原先是第一次世界大戰時的臨時措施，目的在舉措資金以應付當時派軍到歐洲參戰的經費。在此之前，加拿大政府的主要財政來源乃是關稅。而這項臨時措施一直延續下來，歷經演變，不斷修訂，如今已成爲一相當成熟的永久性法典。目前的加拿大所得稅法共有 260 條，分爲 17 個部份，由第 I 部份（ PART I ）的 181 條構成法案的主軸，直到第 X Ⅶ部份。

第一條：本法案稱爲“所得稅法”。

第二條：在年度中任何時間作爲“稅務居民”（ PERSONS RESIDENT IN CANADA ）須按所得稅法之要求，就其“應課稅所得”繳稅。第二條也同時提到“非稅務居民”，亦應就其在加拿大之就業，經商及處理財產交易之所得繳稅。

第三條提到年度內之所得乃指納稅義務人之“全世界所得”（ INCOME FOR YEAR FROM A SOURCE INSIDE OR OUTSIDE CANADA ）。來自亞洲的讀者也許對於加拿大就全世界所得課稅的觀念初接觸時相當不習慣，但事實上當前很多國家均實施這項所得稅措施。美國、澳洲都是如此，可說是世界的潮流。聽說台灣也在蘊釀就國民之全世界所得課稅。

加拿大所得稅法之“稅務居民”可能是個人、合夥事業、公司或信託，都可以成爲報稅的個體。每一年度應申報其所得，並繳納應繳之所得稅。

加拿大所得稅乃採“自行申報”（ SELF-ASSESSMENT ）的制度，納稅人自行根據其所得申報所得稅。稅務局採取的基本態度是相信每一位所得稅申報者乃誠實申報，但如果稅務局有所懷疑時，就會實施查稅（ AUDIT ）。

值得注意的是，對加拿大的稅務制度不了解，往往並不能成爲不守法申報的藉口。希望本書能幫助讀者認識加拿大的稅法，在合法的範圍內藉著稅務規劃來節稅。

對於加拿大稅務的了解，可以由認識什麼人需要報稅開始。

1.1 稅務居民的定義

什麼人需要申報加拿大的所得稅？一般來說，一旦成爲加拿大的稅務居民（ CANADIAN RESIDENTS FOR INCOME TAX PURPOSE ）之後，就可能需要申報加拿大的所得稅。

一般人容易將所謂的“稅務居民”與移民法或國籍法上之“永久居民”或“公民”混淆，其實是不相同的。即使沒有取得移民簽証，沒有合法居留權的人，可能因為某些緣故，在加拿大居留，一年中超過了 183 天，就被視為加拿大的“稅務居民”，可能被稅務局要求申報所得，而且是全世界的所得，並有繳稅的義務。

對於此點，持觀光簽証在加拿大逗留者，也許是為了照顧小留學生，也許是為了其他事宜。應特別警覺，全年在加拿大“累積”逗留時間不要超過 183 天。此處是指“累積”，因為並不是在加拿大住了 182 天離境一小段時間就不會被視為“稅務居民”。即使多次進出，只要一年當中累積起來在加拿大逗留滿 183 天以上，就被視為加拿大的“稅務居民”。

但是否被視為加拿大的稅務居民繳稅後，就可以不必辦理移民申請手續而合法在加拿大居留呢？不是的，即使稅法上您被視為“稅務居民”，要求您報稅繳稅，移民局還是認為您是“非居民”，過了簽証准許的逗留時間後，就是非法居留，有被遞解出境的危險。

從另一個角度看，即使是加拿大的永久居民，甚至公民，亦可以切斷與加拿大的一切居住上的聯繫（RESIDENTIAL TIES）而成為“非稅務居民”，詳見第 6.3 節。一旦成為稅務上的非居民後，原則上除在加拿大境內賺取的所得外，海外之所得就不需要申報加拿大的稅。

加拿大所得稅法上對所謂的“稅務居民”並沒有明確的定義。原則上如果您的“家”在加拿大，加拿大是您經常性、正常的、習慣上居住和生活的地方，您在加拿大建立了居住的聯繫時，您就是加拿大的居民。這些聯繫包括：

- 居所：在加拿大有一個“家”，不論這個家的房子是買來的，或是向別人租來的。
- 您的配偶及受扶養子女在加拿大，受扶養子女的定義應該是年紀未滿 19 歲的未成年子女，及 19 歲以上身心殘障依附其生活的親人。

- 您個人的財物及社會聯繫在此，譬如在加拿大有傢俱、衣物、汽車、銀行帳戶、信用卡、省醫療保險、駕駛執照、職業及其他會員資格，請領兒童福利金（CHILD TAX BENEFIT）等。其中任何一項都可能構成加拿大稅務居民的身份。

對一般人而言，從憑移民簽証報到（ LANDING ）的那一天起，就成爲加拿大的稅務居民。不論是在年初或年底報到，都須在次年的 4 月 30 日前申報個人所得稅。

? 問答	問：我在今年 8 月才移民報到，聽說不滿 183 天就不必報加拿大的個人所得稅，對嗎？

答：持移民簽証到加拿大報到，即建立與加拿大之永久居民關係，持有永久居留權的人只要建立了上述任何一點的居住關係，例如在銀行開立帳户，留下幾件衣物在親友家裡，都可能構成稅務居民的身份。成爲稅務居民後，即須報稅繳稅，與是否在加拿大一年中住滿 183 天沒有關係。

? 問答	問：我在去年移民報到，可是報到完過了幾天就回台灣去了，一直到今年 7 月才眞正搬到加拿大來，準備在此長住，在此以前我需要報稅嗎？

答：保險的做法還是要報稅的，除非報到之後住在旅社，在離境前沒有建立任何與加拿大的居住關係（大概頗難做到）。

問答	問：　我是加拿大的永久居民，持有移民紙，但是我一年當中，大半年都在海外，在加拿大住不到183天，是不是可以不必申報加拿大的所得稅？

答：　不是，您一旦移民報到後，應已建立與加拿大的居住關係，而成爲加拿大的稅務居民，不論一年中在加拿大住多少天，即使一天也不住，仍需申報全世界的所得。

讀者宜警醒，不要一廂情願自以爲還不是加拿大的稅務居民。要是實際上被稅務局當做稅務居民而被追繳應付的稅款，可能涉及鉅額的利息及罰款。在入境加拿大之初，若無法確定身份是否稅務居民，最保險的做法是向稅務局要一份編號 NR74 的表格〔見附表 1.1〕，填妥後寄往加拿大的國際稅務中心，以確定身份是否"稅務居民"。

對公司而言，所謂"稅務居民"一般是指在加拿大登記的公司（CORPORATION），通常是股份有限公司，其全世界的所得都要向加拿大報稅及繳稅。公司即使在外國做登記，假如中心之管理及控制在加拿大，也可能被認爲是加拿大的稅務居民。

1.2 稅務審查（AUDIT）及罰則

加拿大所得稅法由國會制定及修訂，由稅務局（REVENUE CANADA）執行。由於稅務局經費資源的限制，"自行報稅"（SELF-ASSESSMENT）是唯一可行之策。

對於在"自行報稅"制度下未能依法申報者，有兩類的懲罰。一類是遲報：不論是個人所得稅或公司所得稅，在所得稅申報的截止日期後，逾期猶未申報及繳交應繳之稅款時，稅務局將課徵利息及罰款。計算辦法如下：

- 利息：對未繳之稅款會課徵利息，每一季稅務局都會公佈當季的法定利率（PRESCRIBED INTEREST RATE），隨市場利率的升降而調整。欠稅時，利率的計算以法定利率加 4 %，而且每日複利。
- 罰款：過了截止日期即使一天，就會罰所欠稅款的 5 %，每遲報一個月加罰 1 %，但最多不超過 12 個月，也就是最多 17 %。但對於累犯，曾經在過去三年中遲報並被罰款者，或已被政府以正式（FORMAL DEMAND）申報者會加重處罰，先罰 10 %，每遲報一個月加罰 2 %，最多 20 個月，所以可以罰到 50 %的罰款。

遲報的利息及罰款均不得報銷費用。

另一類的懲罰是針對故意漏報，逃漏稅，甚至僞造文件，可視爲刑事案件，情節嚴重者可以被罰所欠稅款的 100 %，甚至 200 %，也可以判處五年以下的徒刑。

稅務局考慮納稅人有時並非蓄意逃漏稅，也許因爲不清楚或因一時貪念，事後懊悔，只要稅務局尚不知情，未找上門前，自願補報（VOLUNTARY DISCLOSURE），稅務局可以從寬處理，只需補繳應繳稅款及利息，可免罰款。

有海外所得的納稅人容易有僥倖的心理，認爲海外所得加拿大稅務局查不到，或者自認不是大資本家大財閥那麼惹眼，稅務局不會注意到。其實有很多被查稅的案例是被人舉發的，稅務局往往在接到可靠的內線舉報後，才針對個別的納稅人或公司進行調查。而舉報的人往往是受檢舉者身邊的人，譬如夫妻反目時，原來的配偶就很可能因怨恨而舉報對方。又譬如親人、同事、雇員、競爭對手、生意上的合夥人、客戶、供應商都有可能因閒隙、嫉妒而舉報某人逃漏稅。

除了被檢舉以外，引致稅務局進行查稅的情況，在個人稅方面，還包括：

- 所得的申報太不合理：譬如住在最高級的住宅區，開最豪華的轎車，子女就讀私立學校（這些資料政府都有電腦檔案），每年在申報所得稅時，卻只有幾千元的加拿大利息收入，完全沒有海外所得。或因所得太低以致請領兒童福利金（CHILD TAX BENEFIT）及 GST 甚至 PST 的補助。此種生活實況與所得申報明顯不相襯的情況，自然會成爲稅務局優先查稅的對象。
- 比較前後年度所得稅申報及財務報表而有巨幅改變，尤其是所得驟降，或不合理開支遽增等，都容易引起稅局關注。
- 集體被認定爲查稅對象：據聞曾有某投資移民基金，有投資人因基金宣告倒閉血本無歸，心有不甘恐嚇基金之負責人，負責人向警方申報而驚動稅務局。該基金的所有投資人幾乎都被鎖定爲查稅對象，因是移民基金，專案查稅小組特別注意海外所得是否誠實申報。另有一基金公司，因向移民局申報投資損失，而稅務局認爲該基金並未倒閉而由投資人接管，因此駁回投資人資本損失的申報，不但如此，並將申報損失的投資人認定爲查稅對象，重點亦是海外所得有無誠實申報。

一旦被稅務局查稅，一開始可能查一、兩年的稅，若稅務局不滿意時，可能往前推一直查到移民報到的一年。查稅的起點可能是要被查對象提供所有銀行的對帳單和回籠支票（CANCELLED CHEQUES），大小金額一一審查，尤其是所有的進項。存入銀行帳戶的款項，可能須一一交待是否所得。若非所得是什麼，若是則與當年度所得稅申報是否相符。有時可能金額只是一、二千元亦須交待清楚，如有任何漏洞就會越挖越深，可以說是鉅細靡遺，明察秋毫。

若被查稅的對象多數時間留在海外，不在加拿大，最易被問的是移民前從事什麼行業，主要的收入來源是什麼。因爲有移民局申請移民時的文件可以核對，絕不可撒謊。移民後做太空人回到原來單位服務或經營同樣的企業，是非常容易被查到的。太空人若無主動的所得，例如薪資或自雇的營利所得，執行業務所得、農漁業或佣金所得，是很難自圓其說的。

有人說海外所得只要報一點就可以了，或者海外所得完全不要報，這樣才不會給稅務局線索，這都是不對的。要明白只要有逃漏稅，就有被稅務局抓到的風險。有些情況風險大些，有些情況風險較小。若海外所得很多，經常由海外匯款進來（有人以爲不要匯錢進來，直接帶現金進來風險較小，其實只要款項進了帳戶，結果是一樣的），大大小小金額不等，卻從來不報海外所得，風險可以說是無限大。

另有一點，希望藉此提醒讀者的是凡與加拿大簽訂租稅協定（ TAX TREATY ）的國家，在其協定中的重要條款之一，是稅務資訊之互通與交換。中國大陸已與加拿大簽有租稅協定，所以在香港回歸之後，加拿大即可取得香港居民在港之稅務資訊。台灣方面自 1996 年與澳洲、紐西蘭分別簽訂租稅協定之後，加拿大亦非常熱衷於租稅協定的簽署，即將展開雙方的洽談。雖然洽談也許須一段或長或短的時間，但簽署租稅協定之後，依澳、紐的模式，加拿大稅務局可向台灣方面調閱當年及以前 5 至 7 年之納稅人所得稅結算申報書及有關之財產稅籍資料。

每一位考慮移民加拿大的人，在移民前就應該有充份的資料，對加拿大須就全世界所得申報，稅率頗高等情況有所認識，作爲考慮要不要移民加拿大的因素，以做明智的抉擇。

如果決定移民加拿大，就必須遵守加拿大的法令，誠實申報所得稅，“天下沒有白吃的午餐”，享受加拿大美好的居住環境、安定的政治、良好的教育及醫療制度，需要付出一些代價。來到加拿大建立新家園，就要適應新的環境--包括加拿大的稅務環境。

公司企業被查稅最可能的原因，仍然是受熟悉內情的人舉報。另外有些情況也容易引起稅務局的注意：

- 稅務局設定某些行業作爲重點查稅對象，尤其是地下經濟活躍的行業，譬如近年之建築業、房地產發展商。

- 申請巨額退稅：稅務局人員對巨額退稅有一定的審核手續。企業申請金額較大的退稅（譬如 GST ）時，最好自動準備好完整的記錄及文件，夾附於稅表呈交。

- 骨牌效應：稅務局對某一家司查帳時，若發現大筆或可疑的交易，可能接下來審查與其交易的公司。所以企業應注意合作的夥伴，甚至往來之供應商及客戶；若發現有不法情況最好不要來往，免受牽連。

1.3 稅務評估（ ASSESSMENT ）與上訴

根據稅法第 152 條，稅務局檢驗納稅人所申報之所得稅表，評估該年度之稅，若有應繳稅額，亦評定是否要繳利息或罰款。稅務局收到呈報的稅表後，以個人稅而言，電子報稅可在二、三週內完成評估，紙張報稅則要二、三個月。以公司而言，則需要幾個月。完成此項程序後，稅務局即會寄出“稅務評估通知”（ NOTICE OF ASSESSMENT ）。所以若在送出稅表後，在預定收到回音的時間仍未收到，便應主動聯絡稅局，因有可能在傳輸或郵寄過程中有失誤甚至遺失了。個人所得稅及公司所得稅之稅務評估通知，格式如〔表 1.2 〕及〔表 1.3 〕。

稅務局在發出“稅務評估通知”前所做之檢驗，只是很粗略的檢查所申報稅表的基本資料、表格、計算是否正確而已，所以並不排除稅務局事後在適當時機和情況下作“再評估”（ RE-ASSESS ），稅法152(4)授權稅務局在某些情況下可重新評估。

一般而言，“正常再評估期間” (NORMAL REASSESSMENT PERIOD)是三年，亦即一份“稅務評估通知”發出後，三年內稅務局仍未做任何再評估行動，就不可再評估了，除非取得納稅人棄權（ WAIVER ）聲明，才能延期。但若納稅人所申報之稅表有因過失疏忽而導致之錯誤，或因故意逃漏而形成之詐欺時，稅務局之重估不受任何期限限制。

納稅人在收到稅務評估通知後，不同意稅務局的評估可提出反對（ OBJECTION ），反對須於收到評估通知後 90 天內或年度稅表截止日後一年內提出，而以此二者中較遲之日期作爲提出反對通知（ NOTICE OF OBJECTION ）之截止日期。反對意見須以書面提出，納稅人只要陳述相關事實即可，亦可向稅務局索取 T400 表格填寫，最好是以掛號信方式向所屬之稅務中心（ TAXATION CENTRE ）或地區分局（ DISTRICT OFFICE ）之上訴主管（ CHIEF OF APPEALS ）提出。上訴主管會根據納稅人之上訴重新審核，並通知納稅人其審議結果。

對稅務局上訴主管之決定，若納稅人不服，則可向稅務法庭（ TAX COURT OF CANADA ），甚至最高法院（ FEDERAL COURT ）上訴。第一級的法庭是加拿大的稅務法庭，納稅人該由收到稅務局之通知後

90天內提出上訴。

1.4 暫估預繳所得稅款（INSTALMENTS）

一般拿薪資所得的納稅人在每次支領薪資時，雇主已根據稅務局的規定，將應扣之養老金供款、失業保險費及所得稅扣除，所支領者爲淨額（NET PAY）。在取得所得時即扣之稅（DEDUCTION AT SOURCE），如果不足以支付年底結算之應繳稅款時，基於稅務公平之原則，納稅人可能被要求做每季之暫估預繳（INSTALMENTS）。一般來說，每季的暫估預繳是主要是針對拿財產所得者，因爲當納稅人的主要所得是財產所得時，通常在取得所得當時並不繳稅，對應於支領薪資者每次被扣繳，似乎是不公平。

就個人而言，在當年度或前兩年之"淨應繳稅款"（NET TAX OWING）大於$2000時，就須繳納每季之暫估預繳。在年度內之3月15日、6月15日、9月15日及12月15日以前繳納。淨應繳稅款之計算基本上是聯邦及省的應繳稅款減已繳稅款。

每季預繳稅額之計算，可以根據以下三種方法選擇其中之一：

(1)當年度預估"淨應繳稅款"之1/4；

(2)前一年度淨應繳稅款之1/4；

(3)根據稅務局之"暫估預繳通知"（NOTICE OF INSTALMENT），3月及6月繳前年淨應繳稅款之1/4，9月及12月則是去年淨應繳稅款減3月及6月已繳款項後之餘額的一半。

納稅人收到稅務局的預繳通知卻沒有準時繳納時，稅務局將課徵利息，是"指定利率"加4%，而指定利率是90天國庫券在上一季的平均利率。

納稅人最好依第(2)或(3)方法繳交預繳稅款，年底多退少補。若根據(1)方法而預估今年之應繳稅款會比前兩年低，因而少繳，但年底所實現之所得超過預估而需補繳巨額稅款時，稅務局就可能課徵利息；當利息超過$1000 ，另課超過$1000 部份的 50%的罰款。

就公司而言，也有類似個人所得的暫估預繳稅款之規定。凡公司當年度或前一年度之應繳公司所得稅超過$1000 時，就應預繳稅款，計算方法也有三種，可以選擇其中之一，於每月月底前繳納，自稅務年度之第一個月開始。

每月預繳稅款的計算方法有：

(1)當年度預估稅款之 1/12 ；

(2)前一年度應繳稅款之 1/12 ；

(3)第一及第二月根據前年應繳稅款之 1/12 ，餘下 10 個月根據去年應繳稅款減去第一及第二個月已繳款項之餘額之 1/10 。

因公司當年度之應繳稅款在年初很難估計，前一年度之應繳稅款在年度結束後的第一個月亦不大可能隨即算出，因此方法(3)是一般公司最常用的。

1.5 紙張及電子報稅

所得稅申報表的填報有用紙筆手算手填的，也有用合適的電腦軟件填列的，兩者其實沒有很大的區別，納稅人均須自行決定要申報那些所得及提列那些扣抵項目，因為電腦程式通常是無法代做這些決策的。然而以電腦程式填列卻可以確保所有算術運算之正確及各個項目之間之關聯整體性，因為往往一個稅項的變動，就造成整個稅表各項的變動，在這方面使用電腦程式較有效率。

填妥稅表後，下一步是送交稅務局。這個步驟也可選用紙張或電子的方法。無論是以手填或以電腦填列，假如採用紙張送件（ PAPER FILING ），均須將稅表實際送達稅務局。而另一種方式，則是採用電子報稅（ ELECTRONIC FILING ，簡稱 E-FILE ）。所得稅法允許符合標準的個人以電子傳送稅表，而約有百分之九十五的個人納稅人符合標準。不合標準而必須以紙張送件的，僅包括譬如第一年成為加拿大稅務居民之新移民、非居民、亡故或破產之納稅人等少數例外。

電子報稅必須以稅務局認可的電腦軟件來編製所得稅申報表。進入電腦程式中之資料再由某種程式重新安排後，以電子傳輸設備直接傳送到稅務局的電腦。

電子報稅幾乎是不用紙張的報稅系統，但報稅者應保留原先應隨所得稅申報表一起附交予稅務局之憑單收據，稅務局隨時可能要求查閱這些單據。另外，用電子報稅的所得稅申報表及各附表，均不須納稅人在其上簽名。唯一要求簽名之處是 T183 表格，該表格授權會計師事務所或報稅公司以電子傳送稅表，稅務局隨時可能要求呈送查閱。

以納稅人的角度，電子報稅的主要優點在於加快處理速度及提高正確性。以紙張人工送件平均約需要七週時間來處理一份稅表，電子報稅只需兩週。電子報稅既然是將稅表的資料直接傳送到稅務局，就免除原先以紙張送件到稅局時，作業人員重新輸入資料於稅局電腦的程序，可消除資料輸入的失誤，提高正確性。特別值得注意的是，幾乎 90%的填列稅表的錯誤，在以電子傳送到稅務局之當天即已查出，要求更正後稅務局才會接受。電子報稅並且可節省納稅人的郵資、減少因郵政服務、稅局積件太多所導致的延誤。

目前除個人所得稅外， GST 已可用電子報稅，公司所得稅則定於1997 年實施電子報稅。

1.6 專業報稅服務

據統計，在個人所得稅申報方面，加拿大全國納稅人約有 50%是自己申報所得稅， 10%由親友代勞，其餘 40%找專業人士代報。至於公司所得稅，則大部份公司都尋求專業服務代辦。

尋求報稅的專業服務時，應考慮的因素包括：

- 專業素養：最理想的專業人士需有豐富的專業知識和實務經驗。有正式的會計師資格（ CA ， CGA ， CMA ），通常是某種程度的品質保證。而一些具規模的報稅公司（譬如 H&R BLOCK ）要求其員工經過專業訓練及每年更新的培訓，亦有一定水準。對一般華裔移民來說，若能找到熟悉國際稅務、海外所得及財產申報的專業人士，通常是很有助益的。至於一些十分複雜或涉及訴訟的個案，則須請教專業稅務律師。
- 服務：很多人以爲交了稅表以後就大功告成，然而事實上稅務局在事後可能還要求補交一些資料，或補繳稅款，甚至要查稅。因此，最好確定代爲報稅的專業人士能提供全年的服務，否則須與稅務局交涉時便無人代勞。
- 費用：須注意所付的費用涵蓋那些服務，譬如是單純填寫所得稅表，還是包括複核、複印稅表，電子傳送稅表，以及事後就所申報稅表代向稅務局交涉等。
- 錯誤之責任：較具規模而負責之專業人士在因其服務上之疏忽而造

成客戶損失時，會承擔責任並謀求補救。若因其過失而造成客戶被稅務局課徵利息或罰款時，將補償客戶全部或部分之損失。

- 溝通能力：若自己的英文尚未十分精通，在選擇報稅專業服務時最好能找與您使用相同母語的人。因爲所涉的錢財及法律責任問題，是不能含糊了事的。
- 專業道德操守：須注意提供服務的人是否會嚴守您的財務稅務機密，是否守法守分，值得信賴。
- 電子服務：能否以電腦程式填列所得稅表及以電子方式傳送稅表。
- 專業人士應於所代填列之所得表上註明其姓名或公司名稱、地址、電話以示負責。當稅局與納稅人因地址變更或語言障礙無法溝通時，稅局可聯絡專業人士。若所委託的專業人士不肯或不敢具名時，應問明緣由。

第二章

2

個人所得稅申報表

第二章

個人所得稅申報表

本章介紹加拿大個人所得稅申報表的主要結構，以便了解那些收入須納入所得，那些支付的款項可以抵扣所得或抵減稅額，以確保只繳該繳的稅。

2.1 個人所得稅申報表之基本結構

個人所得稅申報表之目的在申報納稅義務人的所得、扣抵項目，並計算應繳或應退的稅額。其標準格式如〔表 2.1〕，分成 6 個步驟。

▼步驟 1：

填寫個人資料，包括姓名、通訊地址、出生年月日、社會保險卡號碼、婚姻狀況、 12 月 31 日所居住之省份。如果有配偶的人應填寫配偶的名字及社會保險卡號碼。如果第一年成爲加拿大之稅務居民，應填寫入境日期。在當年由稅務居民變成非居民，應填寫離境日期。如果當年有自雇所得，應填寫自雇企業所在之省份。

▼步驟 2：

申請商品服務稅（ GOODS AND SERVICE TAX / GST ）補助。加拿大的所得稅是夫妻分開申報，但 GST 或省銷售稅（ PROVINCIAL

SALES TAX / PST）補助、兒童福利金的發放、或省醫療保險保費之減免均以家庭之合併收入爲依據，而且夫妻必須協調好只由一方提出申請，不得夫妻各退各的。

在稅表上，夫妻申請退稅的一方在第一個問題：你是否申請 GST 退稅？ 答："是"（YES）打勾，另一方則在"否"（NO）打勾。如果答"否"的一方，即跳到下一個步驟去。答"是"的一方，則回答此處的第二個問題：在當年度 12 月 31 日年紀未滿 19 歲子女的人數，以及第三個問題：填寫配偶之所得稅表第 236 行所列淨收入的金額。當然，沒有子女的單身人士除了第一個問題答"是"以外，第二及第三個問題均不必回答。

▼步驟 3：

稅表上自第 101 行至 150 行爲止，計算綜合所得（TOTAL INCOME）,包括薪資所得、財產類所得（利息、股息、租金）、應課稅之資本利得或損失（TAXABLE CAPITAL GAINS OR LOSSES）、自雇所得（SELF- EMPLOYMENT INCOME）及其他所得。各類所得加總起來得到第 150 行之綜合所得。

▼步驟 4：

稅表第 200 行至 260 行計算應課稅所得（TAXABLE INCOME）。這一個步驟，分成兩個部份，第一個部份（第 200 行至 236 行）計算淨所得（NET INCOME）；第二個部份，在減掉一些所得扣除額（DEDUCTIONS）後，而達到第 260 行的應課稅所得。

可以扣抵所得稅的項目有兩類。一類是所得扣除額，納稅義務人如有此類的支付款項，譬如托兒費、註冊退休儲蓄（REGISTERED RETIREMENT SAVINGS PLAN / RRSP）供款時，可以使應課稅所得減少，都列在稅表第 200 多行內。另一類則是稅額抵減（TAX

CREDITS），此類的支付或核定的金額乘以一定的百分比，直接抵減稅款，多列於稅表第 300 多行。

列於第 236 行以前的所得扣除額包括 RRSP 之供款、工會會費及專業年費、托兒費、看護費、企業投資損失、搬家費、贍養費、爲投資目的之貸款利息費用、其他受雇費用以及其他所得扣除項目等。綜合所得扣除了以上的各項所得扣除額後，達到淨所得。

淨所得是多項社會福利（譬如 GST 補助、PST 補助、兒童福利金、省醫療保險保費減免領取資格）所根據的重要指標，政府用以評斷個人或家庭之貧富和對某項社會福利措施的需要性。但是對於有些隱瞞海外所得的人來說，要特別警惕，他們少報收入不單是逃避應繳的稅款而已，若據此冒領社會福利，則有欺詐之嫌。

第 236 行以下之所得扣減項目，對所得淨額並不發生影響，但可以降低應課稅所得，我們把這類扣減項目歸納爲所得調整項目，包括：受雇者雇主貸給之搬家貸款扣除額、雇主公司股票之優先認股權或購買股票扣除額、其他年度資本損失、其他年度非資本損失，以及資本利得免稅額等。

淨所得減去各所得調整項目而得到應課稅所得，應課稅所得乃是據以計算稅額的稅基。

▼步驟 5：

計算不可退稅之稅款抵減額（NON-REFUNDABLE TAX CREDITS）。稅款抵減額是用來抵減稅額的，但此類之減稅項目只能用來抵減應繳的所得稅額，最多使應繳稅額抵減到零而已；所以即使抵減項目之總額比應繳稅額還高，抵減了稅以後之餘額也不會退稅。因此，當所得不多時，就不須多花工夫去蒐集此類之抵減額的單據。

不可退稅之稅款抵減額在稅表的第 300 至 350 行，包括個人免稅額、高齡免稅額、配偶免稅額、相當配偶免稅額、 18 歲以上身心殘障受扶養親屬免稅額、就業或自雇所繳之加拿大養老金計劃 CPP 保費、養老金免稅額、傷殘免稅額、學費及教育費、醫療費用、慈善捐款等。上述之項目加總起來之總和在第 335 行，乘以 17 %得第 350 行不可退稅之稅款抵減額。

▼步驟 6：

計算應繳或應退稅額（ REFUND OR BALANCE OWING ）。用所得稅申報表之“附表 1 ” （ SCHEDULE 1 ，格式如〔表 2.2 〕）來計算聯邦基本稅（ BASIC FEDERAL TAX ），聯邦基本稅率採三級累進稅率。

應課稅所得	聯邦基本稅率
0 - 29,590	17%
29,591 - 59,180	26%
59,180 以上	29%

基本上，應課稅所得乘以稅率再減去第 350 行的不可退稅稅款抵減額就是聯邦基本稅。 聯邦基本稅是計算聯邦附加稅 (FEDERAL INDIVIDUAL SURTAX ）及省稅（ PROVINCIAL TAX ）的基準。 聯邦基本稅基本上是 3 %，但若聯邦基本稅超過 $12,500 時，聯邦基本稅加課 5%，而變成 8%。

省稅的各省稅率不一，大約在 55%上下，以聯邦基本稅乘以省稅之稅率即得各省之省基本稅，各省又有省的附加稅，適用於高所得的納稅人。

聯邦稅加上省稅得到應繳稅額（ TOTAL PAYABLE, 第 435 行)，扣去 CPP 或失業保險溢繳、各扣繳憑單（ INFORMATION SLIPS ）扣繳稅額、預估暫繳（ INSTALMENTS ）的稅額而得到應退或補繳稅款

（REFUND OR BALANCE OWING）。

稅表最後的一行讓納稅人簽字，其上有一行文字“我証明本申報表及所附相關文件上之資料爲正確、完整並充分揭露我所有的所得”(I certify that the information given on this return and in any documents attached is correct, complete, and fully discloses my income from all sources)，其下有一行“不實填報稅表乃嚴重之犯罪”（It is a serious offence to make a false return）。

2.2 須申報之各類所得

成爲稅務居民後，全世界的所得均須納入所得申報，須納入個人所得申報之海內外收入主要有五類，分別是:

2.2.1 薪資所得（EMPLOYMENT INCOME）

包括加拿大及海外的薪水、工資、分紅、董事費及各項福利（包括雇主提供之膳宿、公司的車子用於私用）等，有些行業譬如餐廳服務生、計程車司機的小費也都是薪資所得。

2.2.2 財產類所得（PROPERTY INCOME）

主要是國內外之利息、股息及租賃所得及有限合夥之淨所得（LIMITED AND NON-ACTIVE PARTNERSHIP INCOME）。詳細說明見第 3 及第 4 章。

2.2.3 應課稅資本利得或損失（TAXABLE CAPITAL GAINS OR LOSSES）

以變賣等方式處理掉有價証券、房地產或企業財產時，當年度所增值的利益，僅 75 %納入所得，發生貶值時亦以 75 %作爲資本損失。譬如股票買入時$10,000 ，後來賣了$14,000 。賣的那一年所增值的$4,000 的 75 %，也就是$3,000 是應課資本利得，納入綜合所得。詳細說明見第 3 及第 4 章。

2.2.4 自雇所得（SELF-EMPLOYMENT INCOME）

自雇所得顧名思義就是自己做老闆的所得，譬如一位醫生在大醫院做駐院醫師領的就是第一類的薪資所得，若自己開設診所，自負盈虧所賺的就是此類的自雇所得。自雇所得常見的形式有營利所得（BUSINESS INCOME）、執行業務所得（PROFESSIONAL INCOME）、佣金所得、農業所得及漁業所得。此類所得須申報營業收入（GROSS INCOME），但真正納入所得的是營業收入減去各項合理的營業費用之後的淨額。生意有賺有賠，所以此類之所得有時是負數就成爲虧損。詳細說明見第 5 章。

2.2.5 其他所得（OTHER INCOME）

此類所得常見者，包括：

2.2.5.1 海內外之退休金、養老金及各種養老給付

通常的養老給付或月退休金可以填報養老金免稅額(PENSION INCOME AMOUNT)。

2.2.5.2 保險給付（EMPLOYMENT INSURANCE BENEFIT）

受雇者一般均強制投保就業保險 (EMPLOYMENT INSURANCE / EI; 1997 年前原稱失業保險 - UNEMPLOYMENT INSURANCE /

UI) ，當失業時所領之就業保險給付須納入所得。

2.2.5.3 贍養費

符合以下各條件時之贍養費須納入所得：-

1. 當受到支付時離婚或分居之雙方已不住在一起，而且至年底爲止維持分居。
2. 支付係根據法院之判令或書面之協議。
3. 乃屬定期之支付，可以月付，季付，半年或一年付一次。
4. 支付是爲了維持納稅人（前夫或前妻）及其子女之生活。
5. 支付給納稅人或其代表。

關於此項所得之規定在 1996 年之聯邦預算案有革命性的改變。1996 年之所得稅申報表不受影響，但凡根據 1997 年 4 月 30 日以後所訂之法院判令或書面協定而支付之子女贍養費（ CHILD SUPPORT PAYMENTS) 部份（不包括前配偶贍養費部份），收者不再納入所得，付者也不再可以抵扣所得。由於此項改變不適用於前配偶之贍養費部份，所以該日以後之判令或協定須區分贍養費中贍養子女或贍養前配偶的部份。如無明白區分的情況下，則僅被視爲贍養子女。即使有明白區分，一年所收到的贍養費比所要求者爲少時，也優先視爲贍養子女。新規定不適用於 1997 年 5 月 1 日以前之離婚或分居之法院判令或書面協定，除非:

- 1997 年 5 月 1 日以後，判令或協定上贍養費之金額不同。
- 判令或協定上明訂自某日後（須在 1997 年 4 月 30 日以後），新規定將適用於該贍養費。
- 雙方聯合填報一份聲明(JOINT FILE ELECTION) 給國稅局，說明自某日後（須在 1997 年 4 月 30 日以後）新規定將適用於該贍養費。

2.2.5.4 註冊退休儲蓄計劃（ RRSP ）所得

通常是 RRSP 之退休年金給付，若由未到期的 RRSP 中支領款項，支領的當年納入所得。

2.2.5.5 獎學金、助學金及藝術家專案補助 (SCHOLARSHIPS, FELLOWSHIPS,BURSARIES AND ARTISTS' PROJECT GRANTS)

此項之收入如金額在$500 以下免申報，金額超過$500 的部份納入所得。

【例】小明收到大學發給的$1,500 獎學金，扣掉免稅的$500 部份，他應申報$1,000 的獎學金所得，填寫在其他所得（稅表第 130 行）項下。

2.2.5.6 一次退休金 (RETIRING ALLOWANCE)

在稅表第 130 行之其他所得項下申報所得可依照規定將一部份或全部之一次退休金轉入 RRSP 下。

 問答	問：我是退休移民，在香港收到的退休金是因爲我在港之服務年資，所收到的一次退休金也須納入所得稅申報嗎？

答：以加拿大國稅局的立場，若以往就業年資所生的退休金是在成爲稅務居民後才取得，就應納入所得，所以退休金取得的時機應好好規劃。在加拿大稅務法庭之判例 Hewitt v. MNR（ 1989 ）DTC451 。法庭判定納稅義務人雖爲稅務居民，但其在海外就業爲非稅務居民身份時所賺得之收入，不須納入加拿大之所得稅

申報。然而法院同時指出，若收受之款項係不當之延誤，判決可能不同。雖然該判例算是納稅義務人勝訴，但法院對該款項是否應課稅仍有不確定性存在。此等退休金最好在移民報到前就取得，才不會有任何爭議之處。

2.2.5.7 撫卹金（DEATH BENEFITS）

因受雇之服務年資發給去世者之配偶或親人之撫卹金，超過$10,000 部份納入受領者之其他所得。$10,000 的免稅額優先由受領撫卹金之配偶抵扣，不足數其他人才得抵扣。

2.2.5.8 註冊教育儲蓄計劃（REGISTERED EDUCATION SAVINGS PLAN / RESP）所得

為子女之教育投資於註冊教育儲蓄計劃之款項，當子女就讀大專院校後，首期通常退還本金給父母不算是所得，次年以後子女可領得之獎學金列入子女之其他所得。1996 年起，RESP 之供款每名受益人每年最多$2,000，每名受益人終身供款之限額為$42,000。

2.2.5.9 其他尚有受訓津貼（TRAINING ALLOWANCE）、一些年金的支付，及不歸屬於其他類別之應課稅所得

? 問答　問：有沒有一些收到的款項不必納入所得稅申報的？

答：不須納入所得（免稅）之收入有 GST 及 PST 補助、兒童福利金、遺產繼承、收受贈予、中獎（譬如中了 649 彩票）、移民在移民前積蓄之財產於移民報到當時及其後移轉來加拿大者。

問答

問：加拿大沒有遺產稅及贈予稅嗎？

答：以收受贈與及遺產的一方來說，是沒有遺產稅及贈予稅的。所以若施贈的一方或去世者是非稅務居民之身份，確實沒有遺產稅或贈予稅的問題。但若施贈者或去世者乃稅務居民之身份時，其贈予或去世時所施贈或遺留之投資性財產(如有價証券、非主要住宅之房地產）均視爲以當時之公平市價交易（ DISPOSITION ），所產生之增值利益須納入施贈者或去世者之所得，繳納所得稅。在加拿大之遺產，去世者未繳所得稅，取得完稅証明（ CLEARANCE CERTIFICATE ）前，繼承者無法移轉產權。施贈者在施贈時應找公証機構對施贈財產做評鑑報告（ APPRAISAL ），估定施贈財產的公平市價，並據以於當年度所得稅申報表上申報資本利得或損失。

問答

問：有人說移民報到後一年內應將海外之財產移入加拿大，否則會被課稅，對嗎？

答：移民前積蓄之財產，移民報到時當做以當時之市價取得，做爲該財產之成本，將來交易時，除非有增值利益，否則多久以後移入加拿大均不會被課稅，不受時間之限制。有增值利益時則以增值金額之 75 ％作爲應課稅資本利得，納入所得。

2.3 應課稅所得及適用稅率

在第 2.1 節中已提到對應課稅所得，聯邦政府將徵收聯邦基本稅及聯邦附加稅，省政府又有省基本稅及省附加稅。而課徵之稅率乃是採累進稅率，也就是所得越高所適用之稅率也越高；但應課稅所得中只有超過某一級距的部份採用較高的稅率，所以我們稱之爲邊際稅率。

雖然加拿大各省及省附加稅不相同，但我們大體可列出應課稅所得與融合聯邦基本稅、聯邦附加稅、省基本稅及省附加稅之邊際綜合稅率大約如下：

應課稅所得	邊際綜合稅率（大約）
$29,590 以下	27%
$29,590 - 59,180	41%
$59,180 以上	50%

2.4 所得扣除額

所得扣除額（ DEDUCTIONS ）可以使應課稅所得減少。而應課稅所得是據以計算聯邦基本稅的稅基，聯邦基本稅是計算聯邦附加稅及省稅的基礎。所以就綜合聯邦及省之合併效果來計算，所得扣除額對不同所得級距之納稅義務人而言，有不同程度的效果，對應課稅所得在$29,590 以下之納稅人而言，所得扣除額價值約 27 %，對$29,590 至$59,180 的納稅人約值 41 %，超過$59,180 者則值 50 %。

換言之，$100 的所得扣除額（如財務諮詢費，托兒費）根據納稅人所在之應課稅所得級距，可能可以節稅$27 或者$50 以上。以下所列的是一些常見的所得扣除額，先列第 236 行以前，使淨所得（ NET INCOME ）減少的所得扣除額。

2.4.1 註冊退休儲蓄計劃（ **RRSP** ）供款

RRSP 在加拿大是相當重要的節稅工具，只要看看每年年初各銀行大力促銷和二月底時大排長龍搶購 RRSP 的盛況，而且是每年聯邦預算案必談之項目，就可以想見 RRSP 扮演何種的角式。

加拿大的社會福利很好，對老年人有相當的照顧，可是人口老化的趨勢使得政府這方面的財政負擔百上加斤，而人們對有關福利也不敢像以前那樣寄予厚望。另一方面，政府則希望藉著 RRSP 這種延後徵稅的優惠措施，讓人民及早儲蓄退休養老的基金，以減少對政府的依賴。

RRSP 背後隱藏的觀念，簡單來說，就是如果納稅人將一部份的薪水類之主動所得放置一邊，不立刻支用，則稅務體制也就不在賺得該份所得（包括所得本身及其產生之孳息）之當時扣稅，而等到真正將所得拿出來支用時才扣稅。

2.4.1.1 如何設立 **RRSP**

要將錢放到 RRSP 可有許多種方法，最簡單的就是把錢存到銀行或信託機構，也可以透過証券商或保險公司。基本上只要塡一份表格，把錢放到 RRSP 的基金即可。有些機構會馬上發給一份正式的報稅用收據（ OFFICIAL TAX RECEIPT ），大多數的情況是在數週後寄達，以供納稅人及時用來申報所得稅。

2.4.1.2 **RRSP** 基金之雙重利益

錢放在 RRSP 基金內，除了供款的部份可以扣除所得外，另一重的好處就是 RRSP 基金內的錢是完全免稅的。所以 RRSP 所產生的孳息無論是利息、股息或資本利得都不會課稅，如此利上滾利，息上滾息，所產生之效果就很大。

在第一重的所得扣除的利益中， RRSP 供款可以省多少稅，視所在的應課稅所得級距及邊際綜合稅率而定，對所得不超過$29,590 者，節省 27 %的稅，超過$59,180 ，則節稅可達 50 %以上。

問答 問： 是不是放在RRSP基金內的錢就無法動用了？

答： 不是的，你可以在需要時，隨時由 RRSP 中支取款項，因為那筆錢當然仍屬於你。但由 RRSP 基金中抽提款項的當年須將該項抽提之金額納入所得。

問答 問： RRSP供款有沒有年齡限制？

答： 根據最新的規定，滿 69 歲以後就不得再供款於 RRSP 基金了。滿 69 歲的當年年底以前， RRSP 須做一了結，將錢拿出來，但通常的做法是由 RRSP 轉為其他年金或註冊退休所得基金（ REGISTERED RETIREMENT INCOME FUND/ RRIF ）內，又可達到部份延後付稅的效果。

要訣 RRSP供款作為所得扣除額，並非免稅，而只是延後付稅而已。然而，不論如何， RRSP除了退休儲蓄以外，更是一項有利的稅務規劃工具。譬如孩子還小，想多拿點假期照顧孩子，在這些年度中薪資所得必然較低；失業的期間只領失業保險金，收入也較低。這些所得低的年度由 RRSP 提錢出來支用，納入所得所付

	的稅可能只是 27 ％，而非 41 ％或 50 ％。譬如預期在某一高所得年度後緊接著是低所得的一年，甚至可以在 2 月底前把錢供到 RRSP 基金內，取得 41 ％或 50 ％的扣稅，然後不久隨即將錢又領出來，作爲所得才繳 27 ％的稅。

2.4.1.3 RRSP 供款之限額

RRSP 的供款要作爲某一年度的扣除額，必須在當年度或次年度的頭 60 天內將錢供到 RRSP 的基金內。譬如最晚到 1997 年的 3 月 1 日的供款仍可抵減 1996 年之所得。

有三項因素會限制一位納稅義務人所能做的 RRSP 供款：

（ 1 ）政府規定該年度之上限；

（ 2 ）前一年度之"工作所得"的一定百分比，以及

（ 3 ）養老金調整（ **PENSION ADJUSTMENT** ）。

詳細解釋如下：

（ 1 ） 政府設定該年度之 **RRSP** 供款上限： 1996 年預算案規定，1996 年至 2003 年凍結於$13,500 ，要到 2004 或 2005 年才會調升。這項限制只會影響高所得的納稅人。

（ 2 ） 前一年度"工作所得"的 **18 %**：譬如以 1995 年全年之工作所得之 18 %，限制該納稅義務人 1996 年 RRSP 之供款最高只能達到這個金額。所謂的"工作所得"（ EARNED INCOME ）在此處包括：

- 薪資 - 指薪資總額，而非扣除 CPP 供款， EI （以前稱 UI ）供款及所得稅以後之淨額。
- 自雇所得
- 房地產之淨租金收入

- 研究補助 - 扣除可抵減費用費用後的金額
- 由著作或發明收取之專利金（ROYALTIES）
- 所收到之應課稅贍養費

扣除：

- 所付出之可抵扣之贍養費
- 大多數與受雇有關聯之費用，譬如工會會費及差旅費等。

工作所得通常不包括大多數之投資所得，譬如利息、股息及資本利得等，也不包括養老金、一次退休金、撫卹金及由 RRSP 、 RRIF 等退休基金中收到之款項。這些所得都不能列入工作所得，因此也不會構成可以買 RRSP 的計算基數。

（**3**）養老金調整（**PENSION ADJUSTMENT**）：在政府設定之年度 RRSP 供款上限內，個人 RRSP 供款之限額是前一年度之 18 %之工作所得減掉養老金調整額。這個數字主要代表前一年度你被視爲已得到之養老金。一般若沒有參加除 RRSP 以外之其他養老金或遞延利潤分享計劃，養老金調整額是零，最多可以供足 18 %的工作所得之 RRSP 。但若參加其他養老金或遞延利潤分享計劃，其供款將構成養老金調整額。

另外値得一提的是未使用之抵扣空間（UNUSED DEDUCTION ROOM）可以轉到以後之年度來抵扣，以前有 7 年的限制，1996 年預算案另一項新的規定是去除了 7 年之限制而可以無限期延用。如果在某一年度對 RRSP 之供款並未達上限，則可以在以後之任何年度買足。

【例】林小姐在 1995 年 RRSP 之限額是$7,800 ，她沒有那麼多錢，所以只供了$5,000 到 RRSP 基金內，她剩餘的 $2,800 可以在以後之任何年度供款。假如 1996 年林小姐之 RRSP 原可供最多$7,900 ，於是她的限額變成了$7,900+$2,800=$10,700 。

2.4.1.4 配偶 RRSP

稅法上容許納稅人可以供款給配偶的 RRSP ，而自己本身扣除所得，但納稅人供款到自己的 RRSP 及配偶 RRSP 的總額，仍受其本身 RRSP 限額之限制。將資金用來供配偶的 RRSP 而非自己的 RRSP ，主要的情況是配偶的收入較低，其用意在將來若有配偶之 RRSP 抽回資金時，將申報配偶之所得，適用較低的稅率。對於此點，稅法上也有歸源法則：若在供款於配偶之 RRSP 的當年或隨後的兩年內，由配偶之 RRSP 抽回所供款項以內的金額，將納入納稅人本身而非配偶之所得。

【例】張先生在 1996 年 2 月將$6,000 供款於其太太的 RRSP 內，從而獲得 1995 得稅申報之扣減。如果張太太在 1998 年以前由其 RRSP 中抽回該供款額內的款項，將被當做是張先生的所得，而非張太太之所得。

 要訣	在同樣情況下，若張先生提前於 1995 年 12 月底供款，則在 1997 年底以前的抽回才適用上述的歸源法則， 1998 年 1 月以後就不受限制了。

2.4.1.5 購屋計劃（ HOME BUYER'S PLAN ）

原來是 1992 年引入的暫時措施，目前 RRSP 之購屋計劃似乎已成爲一永久性的計劃。在此計劃下，合乎資格者可以由其 RRSP 中借出 $20,000 去購買或建造一個家園，而不算是由 RRSP 中抽回資金，在隨後的 16 年當中無息攤還。

購屋計劃目前的規定是給“第一次購屋者”（ FIRST TIME BUYER ），若非第一次購屋者，而在以往 4 年當中擁有並居住於一主要住宅，則可以在第 5 年中購屋，並於購屋後 30 天內由 RRSP 中提取已供的全部或部份資金。購屋計劃只能使用一次，用過以後不得再用。

2.4.2 托兒費（ CHILD CARE EXPENSES ）

當夫妻雙方必須請人代爲照顧孩子才能去工作、經營生意、接受職業訓練或進行有研究補助的研究時，方可以扣減托兒費。

依規定，塡報聯邦托兒費所得扣除額者通常是夫妻中所得較低的一方，因爲隱含之假設是所得低的一方原來應該在家中看顧孩子。

托兒費可以包括在家庭中或托兒所之托兒費，寄宿學校（ BOARDING SCHOOL ）及各種的活動營（ CAMPS ）的費用。

夫妻中所得較低的一方之扣減額限於:

（ 1 ）爲托兒服務在該年度所實際支出的金額。

（ 2 ） 7 歲以下每個孩子是$5,000 ， 16 歲以下（ 1996 年之新規定，原先是 14 歲以下）每個孩子是$3,000 。

（ 3 ）低所得的一方"工作所得"（ EARNED INCOME - 基本上是薪資及自雇所得）的 2/3 。1996 年另一項新的規定是全時間就學的單親家庭不限於"工作所得"而是各類所得，夫妻雙方都是 全時間就讀的學生時亦同。父母必須在完成高中課程以後方符合抵減之條件。

以上三者中之最低額即爲可抵減之限額。

【例】林太太是夫妻中所得較低的一方，其扣減額是以下三者之最低額： 1) 托兒費實付$7,500 ； 2) 兒子 5 歲，女兒 9 歲，兩個孩子$5,000+$3,000=$8,000 ； 3) 2/3 之"工作所得"($15,000*2/3=$10,000)。林太可以扣減$7,500 的托兒費，節省了約$2,075 ($7,500*27%) 的稅。

有一些特殊的情況下低所得的一方不能照顧孩子，譬如夫妻中低所得的一方入獄、住醫院、臥病在床或須坐輪椅最少兩週以上、在大專院校全時間就讀、或夫妻分居。在以上之情況下，夫妻中高所得的一方可以在情況持續的各週中得到扣減。 7 歲以下，每個孩子每週最多$150 ， 7 歲以上每週$90 。

要訣	把孩子交給納稅人自己的父母或公婆照顧，亦可報托兒費之扣減，但父母或公婆須爲加拿大之稅務居民，且將該托兒收入以自雇所得方式納入其所得稅申報。當老人家所得低時尤爲有利。

2.4.3 殘障人士之看護費（ **ATTENDANT CARE EXPENSES** ）

一年中至多有$5,000 的扣減額以供殘障人士聘請看護照顧，使之可以賺取所得收入。本抵減額同時受限於該殘障人士 2/3 之“工作所得”（ EARNED INCOME - 主要是薪資及自雇所得）。

殘障者申報所得時，若不塡報看護費扣減額，另一種扣抵之方法是以醫療費（ MEDICAL EXPENSES)稅款抵減額之方式(見第2.5.1.16節），一年最多$5,000 。

要訣	殘障者之年所得超過$30,000 時，以看護費扣除所得就會比以醫療費稅款扣抵有利，因爲對高所得者而言，所得扣除額之價值比 27％之稅款抵減額爲高。

2.4.4 搬家費（ **MOVING EXPENSES** ）

適用於爲了經商，就業或就讀大專院校在加拿大境內的搬遷。新家距新的工作場所或學校要比舊家近 40 公里以上時，許多與搬家有關的費用均可自新的工作場所所賺得的薪資或自雇所得中扣除。如果是全時間學生時，只有當有獎學金或研究補助時才能扣減。當年度未扣盡的餘數可以在次年扣減。

扣掉雇主代付之部份以外，搬家費可包括:

- 合理之旅費，包括納稅人本人及其家屬旅行時所支付之食宿費。
- 行李托運費，包括倉儲費。
- 在舊家及新家附近之旅館費，膳食費，最多可報銷 15 天。
- 舊家租約取消費。
- 出售舊家之銷售成本，包括房地產經紀人之仲介費。在出售舊家的情況下，購置新家之律師費及房地產移轉稅（TRANSFER TAX）。

僅舊屋出售時經紀人之仲介費就可能上萬元，善加利用搬家費之扣除額，在節稅上可能有很大效果。

問答

問：由國外移民到加拿大來可以扣減搬家費嗎？

答：不可以，搬家費通常只適用於加拿大境內之搬家。由外國搬到加拿大，或由加拿大搬到外國的情況，一般是不適用的。

2.4.5 贍養費支出（ALIMONY OR MAINTENANCE PAID）

有法院判令或書面協議之離婚或分居，支付給前配偶及子女之贍養費，支付的一方可抵扣，收到的一方則須納入所得。關於此點在 1996 年預算案有突破性之發展，詳見第 2.2.5.3 節。

2.4.6 投資目的之支出及利息費用（ CARRYING CHARGES AND INTEREST EXPENSES ）

此類扣減額包括:

- 投資之管理及保管費
- 銀行保險箱之租金
- 投資所得之會計費
- 投資諮詢費
- 貸款以獲得投資所得，其所付出之利息費用；包括爲賺取利息，股息及專利權所得，或有限合夥利益之貸款利息支出等。利息支出是否可抵減詳見第 3.5 節。
- 一直以來，自導性（ SELF-DIRECTED ） RRSP 之管理費可以在此項下扣除。但 1996 年之預算案規定 1996 年 3 月 6 日以後者不再可以扣除。因此 1996 年是此費用可獲抵減的最後一年。

2.4.7 其他受雇費用（ OTHER EMPLOYMENT EXPENSES ）

包括雇用合約上列明受雇者須自付的某些費用（如旅費、電話費、廣告費、文具、汽車等）而其中未得雇主補貼之部份。

大多數的受雇人士都無法扣除旅行或其他諸如置裝、工具等的費用，或由居所至工作場所往返之汽油費用。

2.4.8 其他所得扣除項目（ OTHER DEDUCTIONS ）

包括溢領而退還的就業保險金（ EI ，舊稱 UI ）、養老金、加拿大養老金計劃（ CPP ）給付等，以及爲爭取某些所得權益或抗爭稅務局之評稅不合理所支付之法律及會計費用。

以上所列第 2.4.1 節至第 2.4.8 節是使淨所得減少之所得扣除額，以下所列之所得扣除額不影響淨所得，但可以使應課稅所得減少，此類之所得扣減項又稱爲所得調整項目，常見的包括：

2.4.9 其他年度之淨資本性損失（ **CAPITAL LOSSES OF OTHER YEARS** ）

當財產交易發生資本損失時，優先抵減當年之資本利得，若仍有餘額可用以抵減前 3 年或以後任何年度之資本利得。譬如 1996 年有淨資本損失可用以抵減 1993 ， 1994 及 1995 年所得稅申報表上之資本利得，塡具 T1A 表格與 1996 年所得申報表一起送交稅務局。

2.4.10 其他年度之非資本性損失（ **NON-CAPITAL LOSSES OF OTHER YEARS** ）

發生非資本性之損失，譬如淨租金損失、營利損失（ BUSINESS LOSSES ）或其他自雇損失時，除了農業損失有一些特別規定外，一般非資本性損失可優先抵減當年度之任何其他所得（與資本損失只限於抵減資本利得相比，抵減之範圍廣泛且更有效），若仍有餘額可用以抵減前三年或後七年之任何所得。七年後若仍抵減不完，所餘之非資本性損失可轉爲資本性損失無限期延用抵減資本利得。

2.5 稅款抵減額（ **TAX CREDITS** ）

稅款抵減額與所得扣除額不同之處，乃在於後者是造成所得的減少，而前者則直接抵減稅款，例如$100 的稅款抵減額的價值就是$100 。

稅款抵減額有兩類：一類是可退稅（ REFUNDABLE ），一類是不可退稅（NON-REFUNDABLE）。兩者都可以抵減原先要繳的稅款，但前者就如同扣繳（SOURCE WITHHOLDING）或預估暫繳（INSTALLMENTS）一樣，多了可以退回來。而後者，如同所得扣除額一樣，一旦使當年度之應繳稅款變爲零之後就毫無價值了。換言之，了不起只是不繳稅而已，多了也退不回來。

首先，給讀者介紹產生不可退稅稅款抵減額的各種常見的稅款抵減項目：

2.5.1 關聯到省稅（PROVINCIAL TAX）的不可退稅稅款抵減項目

此類稅款抵減項目，金額加總起來乘以 17 %作爲計算聯邦基本稅之減項，而聯邦基本稅又是計算聯邦附加稅（3 %），及省稅（約 55 %，各省不一）的基礎，所以表面上是 17 %，實際之價值約 27 %。

2.5.1.1 基本個人免稅額（BASIC PERSONAL AMOUNT）

每個人不論大人或小孩，若爲全年之稅務居民，都有$6,456 的免稅額度，約可抵減稅款$1,743($6,456*27%)。

2.5.1.2 高齡免稅額（AGE AMOUNT）

年齡在 65 歲以上，淨所得在$25,921 以下最多可有高齡免稅額$3,482 。淨所得在$25,921 至$49,134 之間時，淨所得超過$25,921 的部份，高齡免稅額遞減 15 %。

譬如淨所得爲$26,921 ，則高齡免稅額減低$150 ，變成$3,332 。

當淨所得超過$49,134 以後，高齡免稅額就沒有了。

高齡免稅額是在基本個人免稅額以外另加的免稅額，所得不高的老人家一年有$9,938 的免稅額。

2.5.1.3 配偶免稅額（ **SPOUSAL AMOUNT** ）

納稅人若有配偶，當配偶之所得低於$538 時，最多可有$5,380 之免稅額，若配偶之所得超過$538 ，但低於$5,918 時，免稅額以$5,918 減去配偶淨所得來計算。

【例】王太太年度的淨所得是$2,000 ，則王先生除了每個人都有的基本個人免稅額$6,456 外，另有$3,918 的配偶免稅額($5,918 －$2,000)，合計就有$10,374 的免稅額。簡單來說，王先生的所得若不超過$10,374 就不須繳稅了。

當配偶淨所得一旦超過$5,918 ，配偶免稅額就歸於零了。所以在夫妻兩人所得都超過$5,918 的情況下，沒有人可以用配偶免稅額。而夫妻兩人所得都低時（低於$6,456 ），也沒有必要用配偶免稅額。因爲不用也不\必繳稅，用了也不退稅。通常，只有在夫妻收入懸殊時才是使用配偶免稅額的時機。

2.5.1.4 相當配偶免稅額（ **EQUIVALENT- TO- SPOSAL AMOUNT** ）

有配偶才有配偶免稅額，對沒配偶的人不是就不公平嗎？爲補救起見，稅法乃設相當於配偶之免稅額，針對在年度中任何時刻曾爲單身、離婚、分居或鰥寡的納稅人，若扶養 18 歲以下因血緣、婚姻或收養之親屬（父母、祖父母或身心殘障者不受年齡限制），受扶養人在納稅人維持之居所居住，且住在加拿大（子女是例外，不受居住加拿大與否之限制）時，當受扶養人所得不高時，納稅人可以享受與配偶相當之免稅額，最多$5,380 ，計算方法與上節之配偶免稅額相同。

【例】王小姐爲單身，她的父親年收入$5,000 ，母親年收入$1,000 ，因爲她只能選一人來抵減相當配偶免稅額，選擇母親就比選擇父親有利，因爲母親可以有$4,918 之相當配偶免稅額，若選父親只有$918 。

要訣	在選擇扶養人時，應盡可能選所得較低者爲有利。以單親家庭的例子，在選一個孩子來塡報相當配偶免稅額時，當然要選所得最低-最好是沒有所得的一位最有利。

問答	問： 配偶的所得很高，不塡報配偶免稅額，而改用父母或子女塡報相當配偶免稅額可以嗎？

答： 不可以，有配偶的人只能塡報配偶免稅額，要想塡報相當配偶免稅額，婚姻狀況必須是單身、離婚、分居或鰥寡才能。

2.5.1.5 18 歲以上殘障受扶養親屬之免稅額（ AMOUNTS FOR INFIRM DEPENDENTS AGE 18 OR OLDER ）

要符合此類別資格，受扶養人必須住在加拿大，且有以下之條件:

- 身體或心智殘障，及
- 年齡在 18 歲以上，及
- 依附納稅義務人生活，及
- 爲納稅人之父母、祖父母、兄弟姊妹、叔伯舅姨姑或甥姪。

當此類受扶養人之年度淨所得少於$4,103 時，可以得到全額之免稅額$2,353 ，當淨所得介於$4,103 至$6,456 之間時，以$6,456 減去淨所得來計算。淨所得超過$6,456 時，則無免稅額。

2.5.1.6 因受雇所繳之加拿大養老金計劃（ **CPP** ）供款

1996 年每名受雇者的 CPP 供款最多不超過$893.20 ，應繳之 CPP 供款以薪資總額減$3,500 （ CPP 免繳額）後乘以 2.8 %計算。若有超繳則可以申退，是一種可退稅稅款抵減額（ REFUNDABLE TAX CREDIT ）。

2.5.1.7 自雇所得之 **CPP** 供款

自雇時， CPP 之供款完全須自繳，以自雇所得減去$3,500 後乘以 5.6 %來計算。

問答

問： 甚麼是 CPP ？

答： CPP 是 CANADIAN PENSION PLAN 加拿大養老金計劃的縮寫，是一種社會保險計劃，以保障投保者及其家人於退休，殘障或死亡時，可以得到應享之保險給付。 CPP 通行於除魁北克省以外之全加拿大。CPP 包括 18 歲至 70 歲所有受雇或自雇者。CPP 之資金來自受雇者、雇主及自雇者之供款。納稅義務人之受雇或自雇所得超過基本免繳額（ BASIC EXEMPTION ）以後，就強制性必須投保，將供款隨所得稅款一起繳納，退休給付將於投保者達 65 歲時獲得，保俸因以往年度之供款多少而有不同。若投保人提早退休，在 60 至 65 歲之間可以申請提前得到退休給付，但得到之保俸將減低。另一種情況，投保者亦可延後給付，繼續供款於 CPP 直至 70 歲，如此可能使往後之給付提高。投保人若投保 4 年或以上，死亡時其配偶或未成年子女（或 18 歲至 25 歲之間就讀於大專院校的子女）可以得到死亡給付。投保人傷殘時，可以得到傷殘給付。

每年政府會公佈該年度之基本免繳額及供款率。

2.5.1.8 就業保險保費（ EI / EMPLOYMENT INSURANCE PREMIUM ）

此項保費 1996 年以受雇者之薪資所得之 2.95 %計算，最高保費不得超過$1,150.76 。溢繳之保費作爲一種可退稅稅款抵減額，可以申請隨稅款抵還。

 問答	問： 甚麼是 EI ？

答： EI 是就業或受雇保險（ EMPLOYMENT INSURANCE ）之縮寫。以前叫做“失業保險”（ UNEMPLOYMENT INSURANCE / UI ）。其目的在保障受雇者，當失業時可以得到一段時間之失業津貼以保障其生活，與 CPP 同樣是一種強制性的社會保險制度，但與 CPP 不同之處是沒有投保者之年齡限制，任何年齡之受雇者只要符合條件就要投保。自 1997 年 1 月 1 日起，此項保險計劃有相當大幅度的改變，在申報制度上簡化很多，並正式由“失業保險”易名爲“就業保險”。

2.5.1.9 養老金免稅額（ PENSION INCOME AMOUNT ）

大部份申報月退休金、養老金及養老年金所得者，最多一年可以有$1,000 之免稅額。

2.5.1.10 傷殘免稅額（ DISABILITY AMOUNT ）

1996 年之抵稅額是$4,233 。要獲得此免稅額，須符合下列條件:

1. 在年度內有嚴重之身體或心智殘障，以至於顯著地限制基本之日常生活行動；及

2. 其傷殘乃長期性的，已持續或預期會持續 12 個月以上，並經醫生之証明。

2.5.1.11 由配偶以外之受扶養親屬移轉之傷殘免稅額（**DISABILITY AMOUNT TRANSFERRED FROM A DEPENDENT OTHER THAN YOUR SPOUSE**）

居住於加拿大之子女、孫子女或同一居處之父母、祖父母或配偶之父母或祖父母，其本人優先使用其免稅額，若其本人之所得不高，用剩之部份可移轉使用。

【例】孫先生與有嚴重傷殘的岳母住在一起，岳母 1996 年的應課稅所得是$7,000 。除基本個人免額外，沒有任何的其他免稅額。則孫先生可填報之受扶養親屬傷殘免稅額計算如下：

受扶養親屬傷殘免稅額		$4,233
受扶養親屬應課稅所得	$7,000	
減：基本個人免稅額	(6,456)	
受扶養親屬本人須填報之傷殘免稅額		(544)
用剩可供移轉之部份		$3,689

所以，孫先生最多可利用之受扶養親屬傷殘免稅額是$3,689 。

不論是納稅義務人本身之傷殘免稅額或受扶養親屬傷殘免稅額之填報都有所限制。就是納稅人可以選擇傷殘免稅額或$5,000 以上之醫療類成本（包括醫療費用〔見第 2.5.1.16 節〕，養老院看護費或殘障人士之看護費〔見第 2.4.3 節〕），兩者之一，看那一項最有利，但不可以兩者兼得。

2.5.1.12 本身之學費（ TUITION FEES FOR SELF ）

付給加拿大之大學或專科以上之教育機構或就業移民部（ THE MINISTER OF EMPLOYMENT AND IMMIGRATION ）認証之職業訓練機構之學費。每教育機構學費金額在$100 以上者，可享受免稅額。書籍及膳宿費不得抵扣。

國外之大學若所註冊之課程最少連續 13 週全時間，並爲取得學位者，其學費亦可抵扣。

2.5.1.13 本身之教育費（ EDUCATION AMOUNT FOR SELF ）

就讀於大專院校或職訓學校，持有 T2202 或 T2202A 收據者可申報。一般作爲全時間學生（ FULL-TIME STUDENT ）之月數， 1996 年每月得申報$100 之教育費免稅額。殘障學生即使是部份時間（ PART-TIME ）學生，仍符合申報之資格。

2.5.1.14 由子女移轉之學費及教育費（ TUITION FEES AND EDUCATION AMOUNT TRANSFERRED FROM A CHILD ）

學生之所得若有限，不須使用全部之學費及教育費抵減額，剩餘之部份可指定移轉給父母或祖父母，但一個子女可移轉之學費及教育費依 1996 年之規定不得超過$5,000 。

? 問答	問：我的孩子在中學就讀，請家教（家庭補習）或到補習班之費用可以抵扣嗎？

答：不可以，不合規定。

? 問答	問：我的孩子在私立中學就讀，學費可以扣抵稅嗎？

答：在加拿大從幼稚園到中學12年級都是國民義務教育，不需要繳納學費。在12級以下就讀於私立學校的學費在稅務上不得做任何之抵減。除非私立學校將部份之學費開具慈善捐款之收據，可以用以抵扣稅款（見第2.5.1.17節）。

? 問答	問：在台灣或香港就讀學院(COLLEGE）之學費，可否抵扣？

答：稅法上，可抵扣學費之加拿大境外學校只限於大學。而學院之學費大致上是不被接受的。讓我覺得很驚訝的是曾有一位客户要求抵扣台灣淡江大學的學費，遭稅務局拒絕，理由是該大學不被認可。海外大學之學費要抵扣，須拿 TL11A 之表格讓該大學之註冊收費單位填寫並蓋學校之鋼印。

? 問答	問：學鋼琴、學才藝之學費可以抵扣稅嗎？

答：不可以，除非部份學才藝音樂的學校開具 T2202 或 T2202A 之學費收據。

? 問答	問：在私立學院，讀ESL英語課程之學費，可否抵扣？

答：不一定，要看就讀的學校是否爲稅法上“指定教育機構“（DESIGNATED EDUCATIONAL INSTITUTION），通常必須是正式的大專院校或就業移民部認可的職業訓練機構方可，否則所付之學費可能不准抵扣。最容易辨悉之方法是學院對該課程所繳之學費是否出具正式之學費收據T2202或T2202A。要注意的是，有些學院雖可開具正式的學費收據，但僅限於某些課程。

2.5.1.15 移轉自配偶之免稅額（AMOUNTS TRANSFERRED FROM SPOUSE）

配偶一方之所得不高時，優先使用本身之免稅額後，若仍有剩，則其高齡、傷殘、學費、教育費等免稅額均可移轉給另一方使用。

【例】王太太是全時間學生，學費$5,000，1996年就讀卑詩大學8個月，應課稅所得$7,000，可轉給王先生之免稅額如下：

學費	$5,000	
教育費	800	$5,800
王太太應課稅所得	$7,000	
減：基本個人免稅額	(6,456)	
王太太個人須用之學費、教育費		(544)
可移轉給王先生之部份		$5,256

2.5.1.16 醫療費用（MEDICAL EXPENSES）

納稅義務人本人、配偶、賴其扶養之子女、孫女、叔伯舅姨姑甥姪等人之醫療費發生於任何連續12個月，只要最後一天在所要申報的年度內，且在以前年度從未申報過者，所有費用加總起來超過納稅義務人淨所得3％（或$1,614，兩者較低之金額）的部份可以抵扣。

醫療費用之範圍頗廣，比較常見的項目如醫生處方之藥費、眼鏡、助聽器之費用、牙醫之診療費等。

【例】王先生有兩個孩子小玲、小珍，在1995年及1996年，王先生各付一些牙醫的診療費，其中付小玲的1995年11月25日$90，1996年2月7日$420，付小珍的1996年4月3日$820，1996年12月5日$65，王先生在1995年沒有抵扣醫療費用，因爲11月25日的是唯一的一筆，王先生1996年之淨所得$15,000，他應該以下列方式扣抵最有利：醫療費扣抵之期間訂於1995年11月25日至1996年11月24日，落在這期間內之醫療費有3筆，合計金額爲$(90+420+820)=$1,330，可抵扣之稅款計算：

醫療費合計	$1,330
減：3％之淨所得或$1,614	
3%*15,000	(450)
可抵扣之醫療費免稅額	$ 880

$880*27%=$237.60，約可抵稅款$238。至於1996年12月5日那一筆$65之醫療費可留待1997年抵扣。

要訣	夫妻雖各付醫療費用，但可全家加起來在一人身上抵扣，要選擇夫或妻時，首先考慮的是誰需要此項抵扣。因爲這是不可退稅（NON-REFUNDABLE）之性質，若所得不高可能根本用不著。若夫妻雙方都需要利用此項抵扣，應選擇所得低的一方較爲有利，因其計算可抵扣額度時之減項（3％之淨所得）較低，可以抵稅之金額會較高。

2.5.1.17 慈善捐款（**CHARITABLE DONATIONS**）

慈善捐款全年之金額在$200 以下的部份聯邦基本稅抵減 17％，加上附加稅及省稅之因素，價值 27％。金額在$200 以上的部份聯邦稅款抵減 29％，加上附加稅及省稅之因素，約可抵稅 50％。

捐款在$200 以上，如果所得在$59,180 以上之高所得級距，其減稅之效果就如同所得扣除額。若屬於較低之所得級距，則此項稅款抵減額之抵扣效果遠高於所得扣除，幾乎是 2 倍的效果（因爲綜合稅率 27％，減稅效果 50％以上）。

一般紙張送件之報稅，慈善捐款之抵扣須提供慈善機構所發出之正式收據，夫妻間慈善捐款的收據是可以互用的。

 要訣	若夫妻協調同意，夫妻之慈善捐款可合併使用，因一人使用超過$200 以上的部份，都可適用 50％以上的抵稅效果。

1996 年預算的另一項新規定是 1996 及以後之年度可以填報之慈善捐款額度最多是淨所得的 50％（以往是 20％）。當年度用不完的慈

善捐款額度可以在以後的 5 年內使用。

【例】張先生在 1996 年之淨所得是$50,000 ，他和太太各有一筆給教會的慈善捐款$15,000 ，張太太申報所得只有$6,000 ，不需用慈善捐款抵稅，張先生申報所得稅時可將兩張$15,000 合計$30,000 的慈善捐款一起填報，但受限於 50 %淨所得之限制，張先生最多可用到$25,000 的慈善捐款。就所提交的兩張慈善捐款收據，稅務局會有記錄只抵扣了$25,000 ，剩下的$45,000 ，可以在 1997-2001 年的 5 年內抵扣。

問答

問：慈善捐款的收據一整張的金額很大，只有部份在當年度使用，餘額在以後年度如何使用？需要求發收據之慈善機構重新開列兩張嗎？或以後年度附送複本？

答：慈善捐款的金額大於當年度的限額時，稅務局會有記錄，在以後的五年中抵用時，原則上不必再送收據，但納稅人能保留複本備查自然更佳。

2.5.1.18 股息稅款抵扣額（ DIVIDEND TAX CREDIT ）

加拿大公司營業收入減去營業費用後之淨利，先要繳納加拿大的公司所得稅，稅後的盈餘再以股息的方式分給公司的股東。作爲股東的個人所得，再來申報一次繳個人所得稅。這是某種形式的雙重課稅，同一樣所得扣兩次稅，所謂“一條牛剝兩層皮“，在稅法公平的原則下，扣第二次稅剝第二層皮時就手下留情，乃有股息稅款抵減之設計。此項抵減只限於加拿大之公司，因爲只有加拿大的公司繳加拿大的稅，外國公司發放之股息就沒有此項稅務上之優待。

做法上，先在所得稅申報時，將加拿大公司之股息收入抬高

（ GROSSED-UP ） 25 %，然後再抵減抬高後股息之 13.33 %（或實際股息之 16.67 %）以計算聯邦基本稅，透過附加稅及省稅的效果，這項稅款抵減可以使一個人在沒有其他所得之情況下，單單股息收入不超過$23,750 ，就不必繳稅。這在稅務規劃上是一個很重要的工具。

 要訣	稅法上准許配偶可以藉填報（ ELECTION ）將配偶之股息所得納入自身之所得，即可利用股息稅款抵減，另外又可提高配偶免稅額。

2.5.2 僅聯邦部份之不可退稅稅款抵減額

此類之稅款抵減額乃屬不可退稅的性質，也就是頂多不繳稅而已，多了也不能用以退稅。其計算方法是在計算聯邦基本稅之後，所以只能抵減聯邦稅，不影響省稅，甚至不影響聯邦附加稅。

2.5.2.1 聯邦政黨之政治捐獻（ **CONTRIBUTION TO FEDERAL POLITICAL PARTIES** ）

對聯邦註冊政黨之政治獻金只可抵減聯邦稅，因爲大多數的省份另有省的稅款抵減規定，適用於該省註冊政黨之政治獻金。

政治捐獻稅款抵減最多不超過$500 ，亦即政治捐獻超過$1,150 以上者沒有任何抵減，計算如下：

第一個 $100 :	75%
以後的 $450 :	50%
其後的 $600 :	33.33%
$1,150	

【例】$300 的政治捐獻，可以抵$175 的聯邦稅。

$100*75% =	$75
$200*50% =	100
$300	$175

【例】$1,000 的政治捐獻，可以抵$450 的聯邦稅。

$100*75%=	$75
$450*50%=	225
$450*33.33%=	150
	$45

2.5.2.2 外國稅款抵減（**FOREIGN TAX CREDIT**）

加拿大稅法規定稅務居民須就全世界所得申報，爲避免雙重課稅起見，對就外國所繳之所得稅，有稅款抵減之規定，詳見第 6.2 節。

2.5.2.3 投資稅款抵減（**INVESTMENT TAX CREDIT**）

這項抵減目前只限於少數的地區（如大西洋省份、魁北克之 GASPE'地區）或少數之項目（符合資格之科學研究支出）。目的在鼓勵這些地區或科學研究之投資。

2.5.3 省之稅款抵減項目（**PROVINCIAL TAX CREDIT**）

若干省份有其租金費用之稅款抵減、省政黨獻金之稅款抵減、外國稅款抵減或消費稅之補助。

2.5.4 可退稅之稅款抵減（REFUNDABLE TAX CREDITS）

所謂的“可退稅“稅款抵減，是指即使在年度內納稅人不須繳稅，此類之扣抵項目仍會支付給納稅人。

2.5.4.1 兒童福利金（CHILD TAX BENEFIT）

在 1992 年以前，家中 18 歲以下的孩子無論家庭貧富均可獲“牛奶金”（CHILD TAX CREDIT）。1993 年起以兒童福利金取代。家庭所得一旦超過$25,921，所能領到之兒童福利金就開始遞減。可領到之兒童福利金金額的大小要看有幾個孩子、孩子多大、有沒有抵減托兒費等。有時家庭收入相當高，仍可領到部份的兒童福利金。

新移民進來或有新出生的孩子，須填表申請，一旦申請手續完備，相關的機構就會通知是否符合資格，可以領到多少的金額，若延後申請，一般可追溯最多一年。在以後的年度裡，稅務局會根據所得稅申報自動核算各家庭可以領得之兒童福利金，不必再提出申請。

 要訣	要想申領兒童福利金，夫妻雙方均須申報所得稅，只要有一方沒有申報，就可能領不到。

 問答	問：聽說必須申報了所得稅才能申領兒童福利金，是這樣嗎？
答：可以在移民報到後立即提出兒童福利金之申請，申請時須填報三年內全世界的所得資料。譬如 1996 年 3 月 8 日報到須填報 1994，1995 年全年及 1996 年 3 月 8 前之全世界所得（雖然那時你尚未移民進來）。應誠實申報。若你以往收入很高，在剛報到的期間可能領不到，但當以後所得一旦降低時，就自動可以領到。	

兒童福利金某年度下半年及次年度上半年是以前一年度之家庭所得來核定，譬如 1997 年 7 月 1 日至 1998 年 6 月 30 日止是根據申領者 1996 年之家庭所得（夫妻之淨所得合計數）來核定。

2.5.4.2 商品服務稅補助（GOODS AND SERVICES TAX CREDIT）

商品服務稅（GST）補助所針對的乃是中低收入的家庭，主要在補償這種家庭在購買商品或服務時所支付之消費稅，申請 GST 補助是以家庭爲單位，夫妻必須先協調好，由夫或妻任何一方提出，但不可兩方同時申請。申請時只需要在稅表的第二個步驟答“是”即可。家庭所得不超過$25,921 時可得全額之補助，大人$199 ，小孩$105 ，超過$25,921 時，遞減 5％。GST 補助一年分四次發給，分別在 7、10、1 及 4 月。

【例】王先生 1996 年淨收入$15,000 ，王太太$13,000 ，他們有兩個孩子各 10 歲和 4 歲，則王先生一家之 GST 計算如下：

王先生 GST 補助		$199
王太太 GST 補助		199
2 個孩子 ＝$105*2		210
		$608
家庭總收入(15000+13000)=	$28,000	
減：基數	(25,921)	
超過部份	2,079	
	× 5%	(103.95)
全年可得補助		$504.05
每季可得（÷ 4）		$126.01

王先生或王太太其中一人可提出申請，申請者每季會收到$126.01的 GST 補助的支票。

問答	問： 爲甚麼每季只有我太太收到 GST 補助支票 ，而我沒收到？

答： 因爲 GST 補助是以家庭爲單位，夫妻只有其中一方會收到。下次你可以在稅表上註明由你申請即可。

2.6 報稅資料的準備

填報個人所得稅報申報表時，應準備的資料見下表:

個人資料: 姓名、 SIN 號碼、出生年月日、報到日期，婚姻狀況、地址、電話、未滿 19 歲以下子女之姓名、出生年月日、性別。

所得資料:

薪資: 扣繳憑單（ T4 、 W2 、 50 ）。

利息: 扣繳憑單（ T5 、 5A 、 5B ），民間借貸沒有憑單則提供金額數字。

租金: 地址、租約、費用支出（地稅、利息、維修、保險）之單據。

財產交易: 憑單（ T3 ， T5 ）、房地產或有價証券成交文件、 購入文件、成交時支出單據。

自雇: 營業項目、收支各項單據。

其他: 憑單 T4A （ OAS ）、 T4U 。

扣抵部份:

外國稅額抵減（ FTC ）: 外國所得稅申報書及扣繳憑單。

RRSP 供款、慈善捐款：正式收據。

搬家費、投資目的之利息支出：**相關單據**。

托兒費：褓母 SIN，地址，**收據或付款回籠支票**。

醫療費用：正式收據。

學費、教育費：**T2202 或 T2202A，TL11A**（海外大學）。

註：粗體字報份，單據備查不必隨所得稅申報表附送給稅務局，但一般金額較大（$2,000 以上）的抵扣項目，稅務局可能會在稍晚要求納稅人提供單據正本，以供審查，並不算是查稅。

2.7 個人應繳稅款之速算

根據以下的步驟可以速算您今年應繳的稅款：

（1）計算綜合所得額：將年度內之薪資、利息、股息、淨租金收入、75 ％的淨資本利得、自雇所得之淨利（或淨損）及各種其他所得全部加總起來。

（2）計算應課稅所得＝綜合所得－所得扣除額

所得扣除額（DEDUCTIONS）：包括 RRSP 之供款、托兒費、搬家費、貸款利息支出、其他年度之損失等。

（3）計算稅款＝應課稅所得×稅率

應課稅所得	邊際綜合稅率	計算公式（應課稅所得＝ x ）
$29,590 以下	27 ％	x × 27 ％
$29,590- 59,180	41 ％	（ x －$29,590 ）× 41 ％＋ 7,989
$59,180 以上	50 ％	（ x －$59,180 ）× 50 ％＋ 20,121

（4） 計算稅款抵減項目之總額

常見抵減項目	金額
個人免稅額	$6,456
高齡（65 歲或以上）免稅額	$3,482 － 15 %（淨所得－ 29,590）
配偶免稅額	最多$5,380 或$5,918 －配偶淨所得
養老金免稅額	最多$1,000
傷殘免稅額	$4,233
CPP 供款	實付數
UI 保費	實付數
醫療費免稅額	全家醫療費－ 3 %淨所得
學費免稅額	實付數
教育費免稅額	$100 ×全時間就讀月數
由子女移轉的學費及教育費	實付數（每名子女不超過$5,000）
合計	抵減項目總額 ＝（4）

（5）計算應繳稅款＝ （3）稅款

－）（4）抵減項目× 27 %

－） 慈善捐款$200 以下× 27 %

$200 以上× 50 %

－） 已繳外國所得稅

【例】張先生在台灣的薪資所得$30,000 ，已繳台灣所得稅合加幣$7,000，美國房子租金扣除費用後$25,000，繳美國所得稅$6,250 ，加拿大利息所得$35,000 。張太太淨所得$2,500 ，醫療費用全家共計$1,600 ， RRSP 供款$5,000 ，慈善捐款$800 。

張先生應繳的稅款速算如下：

（1）綜合所得＝ 30,000+25,000+35,000 ＝ 90,000

（2）應課稅所得＝ 90,000 － 5,000 ＝ 85,000

（3）稅款＝（ 85,000 － 59,180 ）× 50 %+20,121 ＝ 33,031

（4）稅款抵減項目總額， 計算如下：

個人免稅額	$6,456
配偶免稅額	$(5,918 － 2,500)＝$3,418
醫療費免稅額	$1,600 － 3 %×$85,000 ＝ 0
合計	$9,874

（5）應繳稅款＝

稅款	33,031
－）稅款抵減 9,874 × 27 %＝	(2,666)
－）慈善捐款$200 × 27 %＝	(54)
$600 × 27 %＝	(300)
$800	
－）已繳外國所得稅 - 台灣	(7,000)
- 美國	(6,250)
	$16,761 ←應繳稅款(概算)

3
投資所得稅務

3.1 股息

3.2 利息

3.3 有限公司合夥所得

3.4 有價証券交易之資本利得（或損失）

3.5 利息支出之可抵減性

3.6 所得分散之利益及限制

3.7 海外應計財產所得

第三章

投資所得稅務

本章主要涵蓋的內容是房地產以外之財產所得。一般來說，財產本身並沒有稅務的問題。唯一的例外是公司的資本稅（見第 5.10 節）。財產本身沒有稅，但由財產產生的孳息就構成所得而要課稅。財產和孳息怎麼分？有一比喻，財產好比是樹，孳息則是由樹上結出的果子。

因爲所擁有的財產形式不同，所產生之孳息就不同。

- 財產的形式是股票，孳息就是股息，乃是一種投資所得。
- 財產的形式是債券，通常收到利息。
- 財產的形式是銀行存款，通常亦收到利息。
- 財產的形式是版權、專利權，孳息就是版稅或專利所得。
- 財產的形式是房地產，收到的所得是租金（第 4.1 節再討論）。

另外把財產處理掉時，譬如股票買賣交易時，又有所謂資本利得或損失（ CAPITAL GAINS OR LOSSES ），也是一種所得。

3.1 股息（ **DIVIDENDS** ）

股息乃是對公司股東之盈餘分派。通常公司發行不同的股份，有所謂的優先股（ PREFERRED SHARES ）及普通股（ COMMON SHARES ）。優先股通常是優先分派股息，而普通股則有更大的決策權。但不論普通股或優先股，股息的分派都與公司盈餘有關。公司有盈餘時，經董事會之決議分派股息；公司虧損沒有盈餘時，則可以不分派股息。這就與發行公司債券有很大不同，公司債不論公司之盈虧，均須根據債券所訂之利率發利息給債權人。當公司虧損時，公司仍需支付利息。公司無力支付利息時，就可能產生財務危機。以發行股票之方式集資，就沒有這方面的風險。

3.1.1 加拿大公司股息之減稅辦法

在第 2.5.1.18 節已經談過加拿大公司股息之減稅措施，透過股息稅款抵減額（ DIVIDEND TAX CREDIT ）之效果。茲比較常見之各種投資所得所適用之不同邊際綜合稅率（大約）： 見下表

投資所得及適用之邊際綜合稅率表

投資所得 / 所得級距	利息	股息	資本利得
0 － $29,590	27%	7%	20%
$29,590 － $59,180	41%	25%	31%
$59,180 以上	50%	33%	38%

確實之稅率因各省而有所不同，而且上表所列之股息乃是指加拿大公司之股息。若為外國公司之股息則無減稅之規定，所適用之稅率與利息相同。

3.1.2 股票股息

有時公司不派發現金股息，而以增發新股之方式發行股票股息。在此情況下，加拿大公司發放之股票股息須先抬高（ GROSSED-UP ）

25 %，然後再減 13.33 %之股息稅款抵減（DIVIDEND TAX CREDIT）之計稅方法仍適用。股票股息之價值以增發新股所增加之繳入股本（PAID UP CAPITAL）來計算。

就投資人而言，股票股息是一種應課稅所得，即使沒有取得現金亦然。至於有多少所得應納入所得稅計算，則可以由發放股息公司之扣繳憑單（加拿大之 T5 ， T3 表格）看到。海外公司之股票股息，也由海外之扣繳憑單所列之所得總額決定。海外之股票股息往往有兩種形式：增資配股或盈餘配股，後者方爲應課稅所得。

3.1.3 資本股息（CAPITAL DIVIDENDS）

由加拿大之未上市公司（PRIVATE CORPORATIONS）所取得之資本股息是完全免稅的。所謂資本股息，主要是公司將其資本利得之 25 %不納入應課稅所得的部份分派給股東。

加拿大政府爲鼓勵儲蓄，以利資本累積、資本形成，在資本財交易時所產生之資本利得，不論是私人或公司，只有 75 %需要納入所得。讀者請不要誤會，這不是說扣 75 %的稅，而是財產增值 100 萬元時，只算你賺 75 萬元，以 75 萬元納入所得去計算應繳的稅。如果適用 50 %的稅，就繳 37 萬 5 千元的稅。若同樣的情況發生於公司，譬如公司的財產出售賺了 100 萬元，只有 75 %一即 75 萬元算公司的所得，而 25 %一即 25 萬元的部份是免稅的。若發給股東作爲資本股息，到股東的手中，個人所得稅之立場乃爲免稅。

3.1.4 公司收到的股息所得

加拿大公司間收到的股息是免稅的，其假設是公司就其淨利已付了公司所得稅，其稅後之盈餘可藉控股公司（HOLDING

CORPORATION ）分派移轉而不須繳稅，直到分派到股東個人手中才繳個人所得稅。但是有一種特別的可退還的稅（ REFUNDABLE TAX ）－第四部份稅（ PART IV TAX ），針對某些情況之公司間股息，包括由投資公開上市公司收到之股息， 1994 年以前稅率 25 ％，自 1995 年起爲 33.33 ％。

3.1.5 互惠基金（ MUTUAL FUND ）之股息

"互惠基金" 的投資通常是由投資人將資金交由基金管理，聘請專業的經理人以其專業知識、技術管理基金的投資。通常根據分散風險之原理，所投資的是一種投資組合（ PORTFOLIO ）。而給投資人之報酬一部份是股息，一部份是資本利得。

3.2 利息（ INTEREST ）

利息所得所課的稅率從〔表 3.1 〕來看是投資所得中最高的一種。但是在做投資決策時，所考慮的兩個主要因素--風險及預期報酬，利息所得往往是風險最低的一種。

產生利息的來源有不同的形式，譬如:

- 銀行帳戶
- 定期存款、保証所得定存（ GUARANTEED INCOME CERTIFICATES, GIC ）及其他類似之投資
- 國庫券（ TREASURY BILLS ）
- 人壽保險之盈餘
- 外國之利息及股息
- 加拿大儲蓄券（ CANADA SAVINGS BONDS ）

在稅法上有不同須要注意之處，擇要說明於後。另外有一點要提醒讀者注意的是：不只是銀行或金融機構有扣繳憑單（INFORMATION SLIPS）之利息收入須納入所得申報，民間借貸即使沒有任何憑單，只要有利息收入之事實，即須具實申報。

3.2.1 銀行帳戶

加拿大的銀行或金融機構在每年的年初會將扣繳憑單發給客戶。但利息金額低於$50 時也可能不寄。銀行帳戶所產生之利息，不論收到扣繳憑單與否都須列入申報。納稅義務人應自行注意該收到的利息扣繳憑單是否已收到。

在加拿大負責編製扣繳憑單的機構，包括雇主（薪資扣繳憑單T4）、銀行金融機構（T5、T5008）、信託機構（T3）等。在編製構繳憑單時，會做一式四份，第一聯憑單給稅務局，第 2、3 聯給納稅人、第四聯留底。納稅人拿到第 2 及第 3 聯之扣繳憑單，第 2 聯隨稅表寄給稅局，與第 1 聯匯合。第 3 聯則由納稅人留存。由此我們知道，收到利息或薪資等扣繳憑單而未申報，是很容易被查到的，因爲第 1 聯的扣繳憑單已在稅務局等您去申報了。

銀行利息之扣繳憑單最常見之形式是 T5 見〔表 3.2〕，而在加拿大夫妻或家人聯名帳戶（JOINT ACCOUNT）是很盛行的事。由聯合帳戶所產生之利息如何申報呢？基本的原則是根據各人在帳戶出資額（或本金）之比率來分配。

【例】張先生和張太太在銀行帳戶中有$10,000，其中張先生的錢是$6,000，張太太是$4,000。1996 年產生之利息是$400，則張先生應申報$240（$400 × 6,000/10,000）的利息所得。

張太太應申報$160（$400 × 4,000/10,000）的利息所得。

雖然是聯合帳戶，如果資金只是一個人拿出來的，利息仍歸這個人來申報。還要注意歸源原則（詳見第 3.6 節）。即使是未成年子女名下的帳戶，但如果資金是父母提供的，其利息所得仍須由父母申報。

要訣	新移民進入加拿大，夫妻共同擁有之資金，若讓其中其他所得較少的一位，分得較多的資金，申報較多之利息，應可達到所得分散之效果。

3.2.2 定期存款（TERM DEPOSIT）

假設您有一個五年期的定期存款，存入$10,000，三年後拿到$3,000的利息，要如何申報？根據稅法之規定，若這項定存是在 1990 年以前，可以選擇：

- 現金法（CASH METHOD）：收到利息的那一年申報或至少在投資後的第三年申報。
- 應收法（RECEIVABLE METHOD）：計算這一年當中應收的利息來申報而不論實際收到與否。
- 每年應計法（ANNUAL ACCRUAL METHOD）：每年按計算可得的利息申報，不論是否應收或實際收到。

1990 年以前規定最少每三年要申報一次應計之利息。但 1990 年及以後之規定是每年要申報應計之利息，所申報之利息是以由存入當日計一整年之利息收入，譬如在 1995 年 7 月 1 日存一筆定期存款到銀行，3 年期。第一年之利息計算是由 1995 年 7 月 1 日起，至 1996 年 6 月 30 日止，銀行將發給一張 1996 年的 T5，金額則是這一整年之利息。

問答

問：我今年6月1日存入一筆一年期的定期存款，到明年5月底才到期，但我明年的收入很多，可否今年先報7個月的利息？

答：基本上是不可以，須以到期日之當年列入所得。所以定期存款到期日之規則很重要。

要訣

如果預期在某年度會有一大筆的所得，可以利用定存到期日的方法將利息所得分散到另一個年度。譬如在1996年有一棟房子出售賺了一大筆，如果再加上利息的收入可能適用50％以上之邊際稅率，在此情況下，可以將原先一個月、三個月之定存改爲半年或一年，重點是將到期日延到1997年。

問答

問：我是新移民，在移民報到前已在銀行開户，銀行亦寄來扣繳憑單，我要不要申報所得？

答：有些新移民在移民報到前，即以非居民的身份在銀行開户，並收到銀行帳户之利息，如果注意看一下扣繳憑單就會發覺其編號是NR4B〔表3.3〕而非一般稅務居民之T5。另外一點不同是扣繳憑單 NR4B 上，除了列出利息總額外，並列出所扣繳（WITHHOLD）了的25％所得稅，實際只收到淨額。譬如利息原來是$1,000，銀行先代稅局扣繳了$250，眞正只拿到$750，關於此類之所得是已經完稅了，不需要再納入所得申報。

在此，特別要提醒新移民，當移民報到之後，不要忘了通知您已開戶的銀行及投資基金公司（如果您是投資移民），您已經報到成爲稅務居民了。利息或其他所得到年終申報即可，以免他們由您的所得中扣繳 25 %的非居民稅。

3.2.3 國庫券（TREASURY BILLS）

如果在某一年度把國庫券出售，會收到銀行或金融機構發給的 T5008 表格〔表 3.4〕。如果國庫券是到期了才出售的，所應申報的是利息所得，利息的計算是以 T5008 表格上所列買價及售價（PROCEEDS OF DISPOSITION）間的差額。譬如買一張三個月到期的國庫券$50,000 ，買時所付之價格是$49,500 。若一直持有到到期日爲止，則其利息所得爲$500（$50,000-49,500=$500）。

在國庫券未到期前，因臨時需要資金是可以隨時到市場抛售，此時除了利息之外，還可能有資本利得（或損失）。

【例】王先生在 1996 年 12 月 1 日，以$49,000 買了一張 3 個月期的國庫券，到期日是 1997 年 3 月 1 日，然而王先生因臨時要用錢，在 1997 年 2 月 5 日即以$49,500 將改國庫券出售了。其有效之殖利率（EFFECTIVE YIELD RATE）是 5.36 %。

王先生在國庫券上之利息計算如下：

$$\text{買價} \times \text{有效殖利率} \times \frac{\text{國庫券持有天數}}{\text{出售當年之總天數}} = \text{利息}$$

$$\$49,000 \times 5.36\,\% \times \frac{66}{365} = \$475$$

王先生之資本利得則計算如下：

售價		$49,500
減：利息		475
	淨價	49,025
減：調整後之成本基數（ADJUSTED COST BASE）		49,000
	資本利得	$25

3.2.4 人壽保險之盈餘（EARNINGS ON LIFE INSURANCE POLICIES）

在加拿大買人壽保險，有純（PURE）保險者，在投保人發生死亡的情況下，受益人收到死亡給付。這種給付不算受益人所得。除了"純"人壽保險以外，如果還有投資儲蓄的性質，則保險公司在分派盈餘給投保人時，在年底以後，就會編製T5的憑單給投保人申報所得。1990 年及其以後之年度，以每年應計利息之原則計息。

3.2.5 外國之利息及股息（FOREIGN INTEREST AND DIVIDEND INCOME）

當收到外國之股息及利息時，應以其所得總額申報，而非以扣繳外國所得稅之淨所得來申報，外國所扣之外國所得稅可以"外國稅款抵減"（詳見第 6.2 節）來減低稅款，但須以所得總額納入所得申報。

至於外幣如何換算加幣，原則上若利息產生之期間爲短期，應以該期間之平均匯率換算，若產生之期間貫穿全年，以稅務局公佈之年平均匯率來換算。

3.2.6 加拿大儲蓄券（CANADA SAVINGS BONDS, CSBS）

加拿大儲蓄券有兩種付息的方式，每年付息的，以"R"代號；

另一種直到債券到期或兌現日才付息的，以“ C ”代號--表示複利（ COMPOUND INTEREST ）。

每年付息之“ R ”債券、第 45 系列（ SERIES 45 ）及其後之“ C ”債券，加拿大銀行每年發給投資人 T5 ，每年計算應計利息。第 44 系列及其前之“ C ”債券則可以選擇每 3 年計息一次。

3.3 有限合夥所得（ LIMITED PARTNERSHIP INCOME ）

有限合夥是合夥的一種形式，合夥人與其他合夥人一起分派企業之淨利，不論實際收到利潤與否，將持分之合夥利益直接申報爲個人之所得。這與公司之淨利不相同。公司不論賺多少錢，若不分派盈餘給股東，股東沒有收到股息就沒有個人所得。而有限合夥與公司相似之處則是兩者均是有限責任。當企業發生財務危機時，債權人最多只能追索到企業資產之清償。有限合夥人之私人身家財產不受牽連，也就是說，有限合夥人最大之損失不超過原先之投資額，最大之責任只有至此爲止。

對某些高所得的投資者而言，有限合夥投資有它一定的吸引之處。第一個是責任有限，不會危及個人之身家財產。另外當有限合夥有虧損時，有限合夥人所分攤到的損失，可以直接申報於投資人之個人所得。而此類損失可以抵減其他任何一種所得。因此，一項預期在經營初期會有損失之有限合夥，可能成爲一種節稅的投資。但是，值得注意的是能抵減的減額並不能超過原先之投資額。譬如李先生投資一有限合夥事業$8,000 ，該有限合夥由於經營初期有巨額之支出而導致 50 萬元之虧損，李先生占 1/50 之持分，所以應分到$10,000 之損失。但根據稅法，李先生在個人所得稅申報上，最多只能抵扣其出資額之

$8,000 ，額外損失之$2,000 ，對李先生而言，當年度及以後均不能抵減。

有限合夥人並不參與合夥事業之實際經營。有些投資移民基金乃採有限合夥事業之經營方式，年度以後發給投資人之憑單是 T5013 ，見〔表3.5 〕。

3.4 有價証券交易之資本利得（或損失）

通常有價証券之交易是會產生資本利得，但某些情況下，尤其是對專業及非常活躍、進出頻繁的有價証券交易者，稅務局可能將其証券交易當做是一種商業活動的性質，而認為所賺的錢是營業所得（ BUSINESS INCOME ）而非資本利得。為避免混淆，稅法第 39(4)條允許非專業之証券交易者透過填報（ ELECTION ），請稅務局認定其當年度及以後年度之証券交易之利益（或損失）均作資本利得（或損失）處理。當賺錢時，作資本利得只有 75 %納入所得固然有利。但賠錢時，也只有 75 %的損失被承認，就比較不利了。所以一旦作出此種填報之後，以後年度不得更改。

有價証券交易之當年度應申報資本利得或損失，其計算主要是買價與賣價間的差額。有價証券之買賣通常經過証券商而有佣金或手續費支出，均涉及資本利得之計算。

【例】張小姐在 1996 年賣了 XYZ 公開上市的公司股票 100 股，成交價$8,500，隨即收到款並支付$500 之佣金給証券經紀。她的股票是 1986 年買進，當時証券經紀之佣金$200。張小姐應在 1996 年申報資本利得，其計算如下:

成交價			$8,500
減：調整後成本基數			
- 買價	$3,800		
- 買入佣金	200	4,000	
支出及費用（賣出佣金）		500	4,500
資本利得			$4,000
應夥稅資本利得（4,000 × 75%）			$3,000

如果出售的是台灣的股票，在成交時被課之証券交易稅可列入支出及費用（OUTLAYS AND EXPENSES）項目抵扣。但因証券交易稅不屬於所得稅之範疇，不得以外國所得稅款抵減（FOREIGN TAX CREDIT）來抵減稅款。

証券交易有賺有賠，以上述張小姐的例子來說，若成交價不是$8,500，而是$3,700 的話，1996 年所得稅申報，張小姐就有資本損失$800（$4,500 －$3,700），只有 75 %的部份$600 被承認。

証券買賣常見的一種現象是會在不同的時間以不同的價格買賣同一家公司的同一種類股票。當這種情形發生時，稅法上規定在每一次購買股票時計算加權平均成本以決定調整後成本基數。我們必須首先知道這個金額是多少，才能進一步計算資本利得（或損失）。以下的例子說明如何計算平均成本：

【例】李先生擁有甲公司的 250 股普通股股票，其中 100 股是 1992 年以每股$15 買進，另外 150 股是在 1993 年以每股$20 買進，1996 年以每股$24 賣出 200 股。

平均成本之計算:

1992 年以每股$15 買進	$15 × 100 =	$1,500
1993 年以每股$20 買進	$20 × 150 =	$3,000
合計	250 股	$4,500
每股之平均成本	$4,500 ÷ 250 =	$18
資本利得之計算		
售價	$24 × 200 =	$4,800
減:出售股票之調整成本	$18 × 200 =	3,600
資本利得		$1,200
應課稅資本利得	$1,200 × 75%=	$900

下次再買入同類股票時，又必須計算平均成本，繼續上述的例子，李先生在售出甲公司 200 股普通股之後，剩下 50 股，不久又以$21 之每股價格購進甲公司 350 股之普通股，此時，他需要重新計算平均成本如下:

以前買進股票之成本	$18 × 50 =	$900
新買進股票之成本	$21 × 350 =	7,350
合計	400 股	$8,250
每股之平均成本	$8,250 ÷ 400 =	$20.63

以上是同類股票成本之計算。關於債券類，在 1971 年以後購入之同類債券（IDENTICAL BONDS AND DEBENTURES）亦以平均成本計算。但平均成本是以債券之本金爲計算基礎，所謂同類債券是指由同一債務人所發行且附帶相同權利者。

3.5 利息支出之可抵減性

利息可否抵減一直以來是國稅局、稅務法庭及個人或公司納稅義務人之間經常發生爭議之點。根據所得稅法第 20(1)(C)，爲謀取財產或企業之營利所得而發生之利息費用，是可以抵減的。譬如當貸款所得之款項用於投資有價証券、互惠基金、出租之房地產以賺取股息、利息、租金或資本利得時，其所支付之利息一般是可以抵減的。

但是有幾種情形下所付之利息是不可以抵減的。譬如:

- 自用住宅之貸款，
- 私人信用卡，
- 私用車子之貸款。

但以上的三項，若有企業營運上之用途時，譬如家庭辦公室的部份，私人信用卡付營業費用時，私人車子跑公務等營運用部份之貸款利息支出，卻是可以抵減的，其他不可抵減項目還包括:

- 貸款去買 RRSP ，
- 遲繳稅款或暫估預繳稅款之利息。

購買商品時所產生之利息支出一般來說是不可抵減的，因爲商品本身並不產生所得，只有在出售商品時才獲利。雖然利息可否抵減看似簡單，實際上有很多情況仍然會有所爭議。譬如: 爲了買股票尤其是普通股所支付之貸款利息是否可以抵減？因爲預期可能會配股息，將來出售時也可能有資本利得，所以原則上利息之抵減是可以的。

若貸款借來的錢因投資不利而血本無歸時，須繼續支付之利息可不可以抵減？這也是一個問題。自 1994 年起，新的稅法條文第 20.1 條，對於房地產或可折舊資產以外之投資，當財產貶值時，其所損失之金錢須付之利息，容許予以抵扣。譬如某人借了一筆錢投資於一家公

司 ，這家公司經營不善而宣告破產，該投資人之債務仍須繼續支付利息，利息可獲抵減，但須發生於 1994 年以後。

若以貸款所得之資金投資，投資報酬乃固定之利率，則貸款利息支出之抵減，不得超過投資報酬率。譬如某人向銀行以 10 %的利率借了一筆錢，轉借給他的一位親戚只收利率 8 %，則某人在抵減利息時最多只能抵減 8 %。

買車子用於企業經營或受雇之用途時，每天最多抵減$10 之貸款利息。投資於空地之利息支出最多只能抵扣至所收到之租金，不能抵扣之部份可資本化提高土地之調整後成本基數。

利息支出可否抵減常常是稅務局注意之焦點之一，所以在申報所得稅時，最好附上貸款之金額，貸款之目的，年度內支付之利息及其他相關的資料 ，如能附上銀行或金融機構之表格文件或確認文件更佳，可避免一些不必要之爭議和麻煩。

3.6 所得分散之利益及限制

由第 2.3 節的應課稅所得及邊際綜合稅率，我們很容易就看見所得分散的好處。譬如一個家庭除了個人免稅額外沒有其他抵減項目，同樣 10 萬元的家庭年所得，若集中在先生一個人身上約要繳$37,000 的所得稅；若分散於夫妻兩人，各有$50,000 元之所得，則合起來之應繳稅款約$28,800 ，省了幾乎$8,200 的稅。

所得分散的利益雖然顯而易見，但加拿大所得稅法卻有許多措施來防止這種所得的分散。基本上這裡所指的所得主要是財產類的所得，如果沒有資金可做投資，也許本節所提到的所得分散的限制就與您沒有什麼相關了。此類限制所得分散的規定，在稅法上稱爲歸源法則（ATTRIBUTION RULE）。有關之規定有以下幾種。

3.6.1 間接支付

稅法規定，納稅義務人若主導他人將所得支付或轉移給另一人，則該納稅義務人應將該款項納入自己之所得，猶如直接支付給納稅義務人本人一樣。所以，如果某甲安排其雇主將一部份的薪水發給他的太太，則該份付給某甲太太的薪水仍需納入某甲的所得內，並無法達成任何分散減稅的效果。

3.6.2 配偶間之歸源法則

稅法上規定，納稅義務人將財產（包括金錢）不論直接或間接移轉 (TRANSFER) 或借貸 (LOAN) 給配偶時，由該財產所產生之所得或損失，以及該財產交易時所產生之資本利得（或損失），均將歸源給原先持有該財產之納稅義務人。

【例】王先生年薪$70,000，太太年薪$20,000，王先生持有價值$20,000的債券，每半年產生$1,000 的利息，也就是一年有所得$2,000。這$2,000利息在王先生手中，因爲他的邊際綜合稅率是 50 %，要繳$1,000 的稅；但如果在王太太的手中卻因她的邊際稅率是 27 %，只須繳稅$540 。所以王先生很想將這張債券轉給或送給太太。但稅法之歸源法則卻不容許這樣做，這張債券即使送給王太太，利息仍歸王先生所得。

如果轉給配偶的是股票，而配偶日後出售股票之售價與納稅義務人當初之成本相比有資本利得或資本損失時，該利得或損失仍屬納稅義務人本人而非其配偶。

但配偶間的歸源法則有一破解，那就是以公平市價將該財產移轉給配偶（譬如王太太以$20,000 的現金買王先生的債券），並申報所產生之資本利得，則以後歸源法則就不再適用了。以上是說有利得，若有損失呢？據一項特別的規定，這種的資本損失視爲零，但損失得用以調高配偶對該財產之成本。

如果納稅義務人將財產轉給配偶只取得債權，或者將財產借給配偶時，要破解歸源法則就必須要求配偶依市場之利率或國稅局之法定利率來支付利息。

仔細推究起來，這兩招破解似乎也討不了多少便宜，當然在比較有利的情況下，仍然可加利用。

 要訣	夫妻的所得如果懸殊，應盡可能讓高所得的一方來支付日常的開銷，而讓低所得的一方較容易累積儲蓄，使將來投資所得可以適用較低的稅率。

 要訣	對於新移民來說，新帶進加拿大的錢是一個新的起頭，所以可以規劃一下夫妻間應如何分配較爲節稅，譬如知道將來先生會有較多的薪資所得及執行業務所得，大部份財產放在太太名下，就節稅觀點是較爲有利的。

3.6.3 未成年孩子之歸源法則

假設上節王先生的例子將價值$20,000 的債券送給中學生的女兒，一年$2,000 的利息，根本不須扣稅。

但稅法上明文規定到年底前未滿 18 歲的未成年孩子（ MINOR CHILDREN ）有歸源法則，納稅義務人將財產轉送或借給子女，其所產生之所得（或損失）仍須歸源於納稅義務人。在此處應特別注意的一點是不包括資本利得及損失。

歸源法則並不適用於將兒童福利金投資所產生之孳息，所以將收到的子女福利金存在孩子名下，所產生的利息可以算是子女的所得而不算父母的所得。雖然資本利得或損失並不適用未成年子女之歸源法則，但將財產移轉給未成年子女的當時視爲以公平市價成交，可能立即就會有資本利得或損失。唯有移轉後再交易出售時，所產生的資本利得或損失才會課子女的稅。

此處所指的孩子乃是廣義的，包涵與納稅義務人有關聯者（RELATED），包括子女，孫子女，曾孫子女，配偶的子女，兄弟姊妹，以及姪或甥等。

要訣	如果孩子 17 歲那年可以給他一筆錢投資於一年或更長期的定期存款，則利息須納入所得稅申報時，孩子已年滿 18 歲不受歸源法則之限制了。

要訣	可以考慮給孩子一筆贈予足夠支付他四年的大學學費和住宿。當然，要了解這筆錢在法律上已屬於孩子而不是你的了。孩子如果濫用你也沒辦法，如果此點是你考慮的，最好諮詢一下律師做信託（TRUST）。

要訣	如果贈給孩子財產（包括金錢）的是非稅務居民，譬如沒有移民的祖父母，就不受歸源法則的限制。但應注意的一點是海外最好有合法的贈予文件，甚至有繳贈予稅或免繳贈予稅之証明，來証明施贈者不是作爲居民的父母，只憑銀行海外匯款的水單是不足夠的。

要訣	給孩子錢支付學費及日常開銷，讓他把暑假打工的錢，全數存起來，自然沒有歸源法則的問題。

問答	問： 爲了避免歸源法則，是否可以未成年孩子的名義購買房地產？

答： 不妥，因爲以未成年（此處指法定年齡未滿 19 歲）子女之名義購買房地產，孩子在法律上沒有行爲能力，所以孩子名下的房地產無法辦理貸款，也不能在孩子未滿 19 歲以前出售，受到很大的限制。

3.6.4 已成年家庭成員之歸源法則

納稅義務人將財產借給所謂“非外人”（ DO NOT DEAL AT ARM'S LENGTH ）的成年家庭成員（ ADULT FAMILY MEMBERS ），譬如滿 18 歲或以上的子女，父母，岳父母或祖父母時，如果借貸之主要理由只是要達到分散所得減稅之目的，這種轉嫁往往不能成功，須歸於原納稅人。

值得注意的是此類的歸源法則只適用於“借”，如果把財產“給”成年之家庭成員就完全不受限制了。但就如上節所提到的，給出去的財產或金錢，就屬於別人了，爲了節省一點稅金，冒著失去該財產之風險是否值得？明智的讀者須考慮本身的情況，作明智的抉擇。

我們花了很大的篇幅來探討歸源法則，也許你很富想像力又有謀略，可以想出許多的點子以求達成所得分散的目的，而又不受歸源法則的限制，但是稅法可以說是“魔高一尺，道高一丈”，多年來幾乎對各式各樣的招數都預備了接招的破解之法，所以大概可以不必白費心機了。

3.7 海外應計財產所得（**FOREIGN ACCURAL PROPERTY INCOME ， FAPI**）

在加拿大公司所得和個人所得是分開的，公司是一個法人，不論公司賺多少錢，如果不以發工資、利息或分配股息的方式分派給股東，就不會成爲股東的個人所得，不用繳個人所得稅。所以如果您是海外一家公司的股東，甚至是最大的股東或公司的負責人，即使該公司有很多盈餘，只要公司沒有在加拿大登記或設管理控制中心，這家公司就不算是加拿大的公司，不須繳加拿大公司所得稅。然而，海外這家公司在加拿大可能被稱爲加拿大稅務居民之“海外附屬企業”（FOREIGN AFFILIATE），公司繳納所在地當地之公司所得稅，稅後之盈餘分派到股東個人，才會構成股東的個人所得，須報繳加拿大之個人所得稅。

加拿大政府爲打擊納稅義務人將資金移轉稅務天堂或低稅率地區，以賺取被動的投資所得，同時確保納稅義務人就其在**“受控制海外附屬企業”**（**CONTROLLED FOREIGN AFFILIATE**）所賺取之財產所得繳納一份公平的稅，乃有**“海外應計財產所得”**之規定。

自 1995 年初起，**“海外附屬企業”**（**FOREIGN AFFILIATE**）被定義爲納稅義務人持股 1 %以上，其本人及家族合起來持股佔 10 %以上之非居民公司。在此之前之定義爲納稅人持股 10 %以上的非居民公司。

“受控制海外附屬企業”是指一家海外附屬企業中，納稅人本人及其家族、或本人及家族外不超過 4 名加拿大居民，合起來佔 50 %以上有投票權之股份。

“受控制海外附屬企業”之加拿大納稅義務人須就其**“海外應計**

財產所得”（FAPI）之參股百份比（EQUITY %）納入個人所得，不論當年實際分派與否。一年中 FAPI 之所得若少於$5,000 則不須納入個人所得。

FAPI 主要是被動之所得，包括：

- 公司之財產所得（利息、租金、股息、專利權等）
- 投資企業的營業淨利：投資企業（INVESTMENT BUSINESS）的主要收入來源是利息、租金、股息等。保險、質押、房地產開發等公司均屬於投資企業。但當投資企業雇用 5 人或以上的全職員工時，其營業淨利就不再屬於 FAPI。
- 處理主要非用於活動性企業營運之財產，所產生之資本利得。

第四章

4

房地產稅務

4.1 租金所得或虧損

4.2 房地產所有權之移轉

4.3 主要住宅

4.4 非居民之房地產

4.5 房地產交易時之商品服務稅（ GST ）

第四章

房地產稅務

中國人喜歡做房地產的投資，而與房地產有關之稅務問題又頗為複雜。本章的目的在探討一些常見的房地產相關稅務。

4.1 租金所得或虧損

租金所得可能是來自於財產的所得，也有一種情形是一種企業所得。本章所討論的是財產所得之租金，若為企業所得則於下一章（第五章）來探討。而這兩者之分野主要在於提供給租客的是那一種的服務：若提供的服務是基本性的服務如水電、停車及洗衣設施，則屬於財產所得；若又額外提供另一些服務，譬如：清掃、保全（保安）、餐點等，那就可能是經營一個企業。譬如旅社的租金與一般住宅房東收的租金，在稅務的待遇上有頗大的差別。

財產類租金所得之計算，基本上是以由租客所收之租金總額扣除各項因出租而牽涉的費用之後，其淨額才納入所得。若租金收入大於費用有淨租金；若費用大於收入則可能有租金虧損。這種虧損是屬於非資本性的損失，可以抵扣之範圍較廣，可以抵扣任何類別之所得。因此稅務局對其所承認之出租費用有比較嚴格之限制和審查。還有，對於連年之租金虧損，在不預期有淨租金所得之假設下，稅務局可能駁回歷年之租金虧損，而要求補繳稅款及利息。

擁有出租房地產的屋主應於每年申報租金所得，若屋主為個人，納入個人所得稅申報，使用 T776 表格〔表 4.1 〕。若為公司則納入公司之所得。關於租金之淨所得，除非公司雇用 5 人或以上之全時間職員，否則非“活動性收入”（ ACTIVE INCOME ）要繳較高 一 大約 45 %的公司所得稅。房地產若與其他人共同持有，須根據持分百分比，申報其租金所得或損失。

4.1.1 出租費用

一般來說，為賺得租金所得而實際牽涉之“合理”的支出都可以抵減。此類之支出大致可分為兩類：

1. 費用支出，
2. 資本支出。

費用支出或稱營運支出，所產生的通常是短期的效益，譬如租屋之日常維修旨在維持房屋於當初出租時之狀態。這種費用支出可抵減當期的租金收入，在當期報銷。

資本支出所產生之效益則是在一年以上，而且金額大概在$200 以上。譬如買冰箱、洗衣機、烘衣機，或建築結構性的改良，諸如全面翻修屋頂、加蓋車庫等。這些都不能做當期之營運費用報銷，而須提列折舊。

折舊的部份主要是建築及設備兩類。目前大部份的建築是屬於稅法第一類（ CLASS 1 ） 4 %的折舊率。設備方面包括冰箱、洗衣機、烘衣機、洗碗機屬第八類（ CLASS 8 ）， 20 %的折舊率。土地是屬於不可折舊財產（ NON-DEPRECIABLE PROPERTY ），不得提列折舊；建築、設備等可提列折舊者，是可折舊財產（ DEPRECIABLE

PROPERTY)。大多數的可折舊財產在購置的第一年折舊率減半計算，折舊之方法採餘額遞減法。譬如買一個冰箱$1,000 ，第一年最多折 10 %，即$100 ；第二年折餘額$900 ($1,000 －$100) 的 20 %，即$180 ；第三年可折餘額$720 的 20 %，即$144 。如此折舊下去，折舊額越來越低，卻折它不完。

關於折舊，稅法上限制不可以增加租金虧損，如果租金收入減去費用支出，仍有淨收入，這個金額就是折舊的極限。譬如王先生出租的房子一年收入租金$10,000 ，各項費用支出$9,500 ，則其折舊額最多不超過$500 。如果租金減掉費用已經是負數，那就不得再折舊了。

即使稅法上可以折舊，但建築之折舊仍須慎重，因爲原先出租之房地產出售時若有增值，除了增值的部份有資本利得外，歷年來建築折舊的部份還要以折舊退回（ RECAPTURE OF CCA ）的方式吐出來並全數納入所得。當分攤到建築上之成交價大於售屋當年之未折舊餘額及歷年之資本支出時，這種情形就可能發生。

 要訣	若預期出租之房地產會增值，每年在計算租金所得時，最好不要提列折舊。因爲如果平常所得不高，提折舊只省了 26 %的稅，到出售房地產那年若賺了很多錢，吐還之歷年折舊額可能要付 50 %的稅，平常提列折舊就划不來了。

常見之費用支出包括:

- 刊登出租廣告的廣告費
- 出租房子的保險費（如果是由屋主繳納的話）: 通常出租的物業如果是住宅類的，大部份的費用支出如保險費、地稅多由屋主負擔。

但商業樓宇方面，加拿大之商業實務多由租客自行負擔，屋主只收純租金（TRIPLE NET）。若費用由租客自行負擔部份，屋主自然不可以報銷該部份費用。

- 房屋貸款之利息部份：貸款之銀行通常在年底會將貸款報告（STATEMENT OF MORTGAGE）給貸款人，報告會分別列出年度內所還之本金及支付之利息。本金的部份是不可以報銷的，只有利息的部份可以。
- 購買或翻修出租房地產時爲取得貸款而引致的一些費用，包括：貸款申請費、估價（APPRAISALS）、保險費、貸款擔保費、貸款經紀佣金、法律及相關融資費用等。可以分 5 年攤銷，從取得貸款那年起，每年攤銷 20 %。
- 管理費：支付出去的房屋管理費，或代收租金或找租客付給經紀人的佣金。
- 汽車費：i）如果只有一棟出租房地產時，唯有在下列幾種情形下可以合理的報銷汽車費用：
  - -- 收租的房地產與所居住的房子在同一個區域內，假如住在溫哥華，出租房地產在卡加利，汽車費不得報銷；
  - -- 個人所做出租房子的全部或部份必要維修；
  - -- 在運送工具或材料到出租房子時所涉及之汽車費。前去收租途中所涉及之汽車費是不准報銷的，因爲算是私人用途。

  ii）如果擁有兩棟或以上之出租房地產，可以報銷下列之合理的汽車費用：
  - -- 收租；
  - -- 監管維修；

-- 物業之一般性管理。不論出租之房地產是在所住之大區域內或外，此等費用均可報銷。然而要合理報銷汽車費， 出租之房地產必須是在與主要住宅不同的兩個地點，如果在自己住家隔壁有兩棟出租房子，當然不符合上述之情況。

- 法律、會計及專業人士費用，譬如律師費、會計師做帳、報稅的費用。
- 地稅（ PROPERTY TAX ）。
- 水電費（若由屋主負擔）。

原則上，與出租房子有關之各項費用，在合理的範圍只要有單據就可以報銷，單據在申報所得稅時不必夾附，只是備查而已。

4.1.2 部分出租之情形

如果將自己住的房子一部份分租出去，與出租部分直接相關之上述各項費用可以完全報銷；而有些支出是整棟房子之支出，就需要加以分攤，可以用佔地的面積或房間數來比例分攤，只要分攤得合理便可。譬如王先生住的房子有 10 個房間，將其中 4 間租出去，他便可以抵減:

- 只與出租房間有關之全部費用，如該等房間之維修費的 100 %；
- 與整棟房子相關費用之四成，譬如地稅、保險的 40 %。

在本章開始時，已提到若不能預期出租房地產得到合理的利益而發生長期虧損的情況下，租金虧損可能不被准許。這個原則也適用於將自住的房子部份出租的情形。如果所收的租金不足以支付該部份之出租費用時，這樣所產生之租金虧損也不被認可。

4.1.3 以低於市價出租

唯有在可以賺得所得的前提下所涉及之費用才可以抵減，所以如果讓自己的兒子、女兒或親戚居住只象徵性的收一點租金時，不得申報出租費用、提列虧損，因爲沒有盈利的意向。

如果因爲以過低的租金租給親戚而發生虧損，是不被稅局接受的。如果以市場的價值租給親戚，且預期會有盈利，則短期之租金虧損可以被認可。

4.1.4 空地出租

出租空地以賺取租金所得，可以抵減以下之營運費用，但在抵減上稅法有所限制:

- 購置土地貸款之利息支出；
- 土地之地稅。

這兩項費用可抵減之限額，是該土地之租金收入減去其他費用之後的淨額，利息支出及地稅不可用來創造或擴大租金損失。但不能抵減之部份可以加到土地之調整成本基數（ ADJUSTED COST BASE ）內。墊高後的成本，可使將來出售土地時之資本利得減少。

如果空地沒有任何的收入，貸款之利息及地稅不能抵減，而且其利息及地稅也不能加到調整成本內。另外在空地所發生之所得稅、營業稅、土地移轉稅等都不可抵減。稅法的目的可能在抑制土地之荒廢及純粹炒作地皮。

4.2 房地產所有權之移轉

出售房地產時，要看所出售的是不是主要住宅，若爲主要住宅（詳見第 4.3 節）則可能不用申報，或至少有一些稅務上之減免。

房地產之處分或交易（ DISPOSITION ）是指財產所有權之移轉，最常見當然是出售。但是當房地產贈予他人、被政府徵收、被焚毀、或者持有房地產之業主死亡、移出加拿大等，改變房地產之用途（不論由自用改爲出租，或出租改爲自用）情況發生時，都被視爲處分或交易（ DEEMED DISPOSITION ），而以交易當時之“公平市價”作爲成交價，來計算財產交易之利益或損失。也有例外的情況，譬如去世的人之遺產由配偶或配偶信託來繼承時，以當初之成本做成交價，因此房地產交易之資本利得爲零；如此，則資本利得之稅負，將遞延到將來繼承遺產之配偶實際出售或死亡時，才會實現。

一般來說，買房地產時不須作任何申報，只要把購入之文件保管好即可，但 1997 年以後購入之海外財產可能要列入海外財產來申報。

交易之房地產如非主要住宅，不論賺賠均須申報。申報所需之資料列舉如下：

- 所交易房地產座落之地址
- 購入日期及調整後之成本基數。如果出售的是海外（譬如台灣）的房子而且在移民報到前已持有者，購入之日期爲移民報到之日期，而不是真正購入的日期。調整成本以移民報到日該房地產之公平市價計價，而與當初實際購價無關。 在加拿大的房地產不論在移民前後購置都以實際購入之日期爲準。可以翻查買房子當時之買賣合約，以交屋完成產權過戶之日（ COMPLETION DATE ）爲購入日期。在 1992 年 2 月 22 日以前購入房地產，而又在 1994 年 2 月以前報到成爲加拿大居民時，有可能用到一人一生可使用之十萬元免稅額。若符合上述之情形可與專業會計師聯繫諮詢減稅之辦法。關於購入房地產之調整成本，可根據當時律師之調整報告（STATEMENT OF ADJUSTMENT）來計算，包括買價、財產移轉稅（PROPERTY TRANSFER TAX）、律師費、丈量費（測量費）、貸款手續費等。

- 成交價：基本上即售價。台灣的房地產成交價是指出售時買賣合約上之成交價，而非報土地增值稅時之公告地價。如果將房地產以低價賣給或贈予子女或親人時，成交價以售賣或贈予時之"市價"爲準，需要找一家估價公司做一份估價報告（APPRAISAL）。雖然有人以市政府之公告地價（ASSESSMENT）爲準，但並不是太妥當，爲免除日後可能會引起稅務局之爭議，還是拿一份估價報告爲宜。
- 出售時之開銷及費用（OUTLAYS AND EXPENSES）：包括出售時給房地產經紀的佣金、律師費，甚至出售前之整修、換地氈粉刷牆壁、更換浴室設備、廚櫃等等，只要有單據都可以報銷。

購入（或取得）房地產及房地產交易時，政府之公佈地價通知房地產價值中土地及建築所佔之比例。

問答

問：移民報到時海外房地產之公平市價如何取得？

答：可以參考移民前房地產之估價報告，但要注意是什麼時候做的估價報告。若估價後房價有巨幅之變動時，宜做適當之調整。如果沒有做估價報告可根據市場之行情，在合理的範圍內自行評估。

問答	問： 在台灣出售房地產所繳之土地增值稅可以用來抵稅嗎？

答： 台灣之土地增值稅是根據平均地權條例，不屬於所得稅之範圍，並不適用作爲外國稅款抵減（ FOREIGN TAX CREDIT ），也就是不能直接抵減所得稅；但可以列爲出售時開銷及費用的一項，可以使資本利得減少，是所得之減少而非抵減稅款。

有了以上的資料即可計算房地產變賣處理時之資本利得（或損失）。以下是一個經過簡化的例子：

【例】王先生有一塊 20 英畝的土地， 1994 年購買時成本$100,000 ，當時之佣金$5,000 。到 1996 年出售售價$140,000 ，佣金$6,000 ，律師費$1,000 。

售價			$140,000
調整成本			
-- 買價	$100,000		
-- 佣金	5,000	$105,000	
支出及費用			
-- 佣金	6,000		
-- 律師費	1,000	7,000	112,000
資本利得			28,000
應課稅資本利得			21,000

如果出售之房地產有土地和房屋兩部份時，首先應將售價中有多少屬土地，多少屬建築的部份也分列出來。出售土地及建築之資本利

得須分開申報；因爲土地是不可折舊財產（NON-DEPRECIABLE PROPERTY），而建築的部份則是可折舊的財產（DEPRECIABLE PROPERTY）。

出租之房地產其中建築部份之成本可以在出租的各年中提列折舊。依規定在出租的各年當中作出租費用來抵減租金所得。建築成本減去累積折舊後的餘額稱爲“未折舊資金成本”（UNDEPRECIABLE CAPITAL COST,UCC），在出售的當年，未折舊資金成本須減去下列二者中之較低者：

1. 建築成本；
2. 建築售價減相關之費用及支出。

所得之差額，若爲負數，表示以往折舊太多，須將折舊退還（RECAPTURE OF CCA），此金額須全數納入所得。所得之差額若爲正數，可以做終結損失（TERMINAL LOSS），100％全額抵減。但稅局對此類之損失稅法有一定的限制。

4.3 主要住宅（PRINCIPAL RESIDENCE）

在加拿大有類似台灣的自用住宅之減免稅規定，加拿大現行所得稅法規定一個家庭單位（通常是夫妻及未成年的子女）在某一特定的年度內，可指定所持有的，而由納稅義務人本人、配偶或子女經常居住的一棟房子，作爲“主要住宅”。一個家庭在同一年內只能指定一棟房子作爲主要住宅，所以即使夫妻名下各有一棟房子，都沒有租出去，也只能指定其中的一棟作爲主要住宅。同一年內若同時持有一棟以上譬如甲乙兩棟房子，在該年度當中若指定了甲房作爲主要住宅，就不能再指定乙房作爲主要住宅，只能選擇其一。

4.3.1 指定爲主要住宅之減稅優惠

一棟房子指定爲主要住宅有甚麼好處？主要是當將來出售時如果有增值利益，就不需要繳稅，甚至不需要申報。這種情形必須是在持有該房子的各年度，這棟房子始終都是主要住宅。如果在持有期間，該棟房子只有部份時間是主要住宅，則出售時須申報這棟房子不是主要住宅期間之資本利得。應使用之稅表是 T2091 （ IND ）〔表 4.2 〕，計算主要住宅減稅辦法之公式如下：

$$減免部份 = 增值利益 \times \frac{1+指定作主要住宅之年數}{持有年數}$$

【例】一棟房子成本 10 萬元，持有 5 年後賣了 40 萬元，在五年當中，第 3 年及第 4 年整年出租而沒有指定爲主要住宅，這棟房子的應課稅資本利得計算如下：

售價	$400,000
成本	100,000
增值利益	300,000
自用住宅減免部份：	
= 300,000 ×(1+3)÷ 5 =	240,000
資本利得	$60,000
應課稅資本利得	$45,000

由於指定爲主要住宅，使增值的 30 萬元當中只有 4 萬 5 千元 － 15 % 納入所得。主要住宅之指定（使用 T2091 ）是在住宅的房子交易時才

填報，不須在持有期間每年填報。

如果一個家庭由始至終只持有一棟房子，買了賣出，然後再買，這些房子都是主要住宅，不像台灣受一人一生只能擁有一棟自用住宅之限制。如果有些年內因爲換房子的緣故，同時持有兩棟房子，只要這種情形不超過一年，不要緊，因爲稅法的原意是考慮一般人不太可能先把房子賣了，去住旅社，然後再去買另一棟新房子。所以允許新舊交替時，有一段重疊的時間，但不可超過一年。這是在減稅公式中分子的部份有一個“1+”，加送一年的意義所在。

爲甚麼主要住宅漲價不須納稅？稅法之涵義乃是每一個家庭總要有一棟房子來居住，房價如果漲了，貴賣的房子還要貴買另外一棟，所以增值的部份就沒有道理課稅了。

主要住宅房子所佔的土地也是主要住宅的一部份，但這種作爲主要住宅一部份的土地，原則上限於半公頃（ HECTARE ），約一英畝（ ACRE ）。然而如果能証實須有更大的土地才能享用這個房子，稅務局也會考慮。

4.3.2 主要住宅部份出租或作營業用途

將部份的主要住宅分租出去或改作營業用途時，若符合下列三個條件，並不改變整棟房子作爲主要住宅之狀態：

1. 分租出去或改作營業用途的部份只佔整棟房子的小部份（不到一半）；
2. 對整個房子並沒有做結構上的改變使其更適合出租或作商業用；
3. 在分租出去或改爲營業用之部分不提列折舊。

這三個條件必須完全符合才能保持原先主要住宅的資格，若有其中任何一個條件無法符合，將來實際出售這棟房子時，必須：

- 將售價分解為主要住宅部份，以及作為出租或營業用的另一個部份；可以用所佔之面積，或房間數來作為分解的基礎，只要分得合理便可。
- 出租或營業用部份之資本利得（或損失）要申報，主要住宅部份則不必。

以下用一個綜合的例子來說明如何處理下列各有關情形：
（1）出售一棟房子，一部份是主要住宅，一部份用來賺取所得；
（2）申報出售房子時土地及建築兩部份的資本利得（見第 4.2 節）；
（3）出售可折舊財產時計算其折舊退還（RECAPTURE OF CCA）或終結損失（TERMINAL LOSS）。
（這個例子取材自稅務局所發行介紹"資本利得"的小冊子）

【例】 1988 年 11 月，施先生以$125,000 買了一棟雙拼的房子(DUPLEX)，根據市政府在買入時公佈之公告地價，整棟房之子價值$100,000，其中土地值$25,000，建築則值$75,000。買了這棟房子之後，施先生自己住樓下的一半，而把樓上的一半租出去。根據這棟房子的總面積計算，他用來出租的部份佔 40％。

1996 年，施先生以$175,000 售出這棟房子，出售時所涉的費用是$10,500，根據市政府的估價這棟房子價值$150,000，土地佔$30,000，建築佔$120,000。

主要住宅部份之資本利得不會課稅，因為這部份在施先生持有之各年度中都是主要住宅，因此不需要填報資本利得，也不需填 T2091（IND）的表格。

施先生必須申報分租出去的一部份之資本利得，他也必須決定建築部份是否有折舊退還或終結損失。 因此，他必須分解買價、賣價及出售相關費用中屬於土地及建築的部份各是多少。施先生的計算如下：

1)首先,根據市政府公告地價的估值,分解買價中土地及建築的部份:

a ）建築：$\$25,000 \times \frac{75,000}{100,000} \times 40\% = \$37,500$

b ）土地：$\$125,000 \times \frac{25,000}{100,000} \times 40\% = \$12,500$

因爲購買房子的合約沒有分解房子和土地的買價，所以根據市政府的資料分解。施先生必須在買房子時做以上的計算，來決定分租出去的建築部份之折舊金額。

2 ）根據出售時市政府公告地價的估值，分解賣價中土地及建築的部份：

a ）建築：$\$175,000 \times \frac{120,000}{150,000} \times 40\% = \$56,000$

b ）土地：$\$175,000 \times \frac{30,000}{150,000} \times 40\% = \$14,000$

售屋時之成交合約上沒有土地及建築之分解，既然施先生在收到市政府之公告地價估值後，並沒有翻修過房子，應可以據以分解土地及建築部份。

3)根據售屋時市政府公告地價估值，分解出售時相關費用中土地及建築之部份：

a ）建築：$\$10,500 \times \frac{120,000}{150,000} \times 40\% = \$3,360$

b ）土地：$\$10,500 \times \frac{30,000}{150,000} \times 40\% = \$840$

至此，施先生已可決定分租出去部份建築之折舊退還或終結損失。分租部份建築到 1996 年初之未折舊資金成本（ UCC ）是$34,728 。計算如下：

1996 年初之未折舊資金成本 UCC	$34,728
減：兩者中較少者：	
- 分租部份建築之售價減相關費用	
$(56,000 － 3,360) = 52,640	
- 分租部份建築之買價 = 37,500	37,500
折舊之退還（ RECAPTURE OF CCA ）	$(2,772)

土地及建築之資本利得計算如下：

	建築	土地
售價	$ 56,000	$14,000
減：調整後成本	(37,500)	(12,500)
出售時相關費用及支出	(3,360)	(840)
資本利得	$ 15,140	$ 660
應課稅資本利得	$ 11,355	$ 495

由以上的例子可以了解，當房地產增值時，主要的住宅部份可以免稅，最少可以減稅。但是如果房地產貶值呢？則出租或營業用的房地產，其土地的部份可以申報資本損失（ CAPITAL LOSS ），用以抵減其他年度財產交易時所發生的資本利得，但只承認 75 ％損失；而建築的部份則會產生終結損失（ TERMINAL LOSS ），是一種非資本損

失，全數可用以抵減當年度及其他年度之任何所得。

主要住宅出售時貶值，稅務局不承認其損失，不能做任何抵減，就如增值時不須繳稅一樣，所以相當公平。但對於非主要住宅的其他自用住宅（因只能指定一棟房子爲主要住宅）而言，增值時要就資本利得繳稅，貶值時，損失卻不被認可，不能抵減。主要住宅之指定並不限於加拿大境內。倘若加拿大境內之房子貶值，海外的房子增值，兩棟房子都是自用時，可指定海外的房子爲主要住宅。

4.3.3 主要住宅用途改變時稅務之影响

全部或一部份房子用途改變，不論是由主要住宅改爲出租或營運用，或由出租、營運用改爲主要住宅時，該全部或一部份房子被視爲以當時之公平市價出售。

4.3.3.1 主要住宅改爲出租或營運用

原先指定作爲主要住宅若決定出租，或者用來經營一個企業。如此做之後，房子不再是個人之使用及享受，而用來賺取所得。此種用途改變，會被認爲:

- 以當時之公平市價將房子出售；
- 又以當時之公平市價將房子再買進來。

改變用途當時之公平市價，決定有無資本利得或損失。然而因爲房子改變用途前，持有之各年中都是主要住宅，所以房子的資本利得不需要繳稅，當然有資本損失時稅務局也不承認。

要訣	**在房子漲價時改變用途，由自用改為出租或營運用，並做房子的估價以確定房子當時的公平市價，所產生的增值完全免稅，並將房子的調整成本提高，將來漲價增值的空間減少，可以節稅。**

改變用途後，房子視作以當時之公平市價再買入當作調整成本，將來有一天出售時，售價與改變用途時公平市價的差額，就是資本利得或損失，會產生稅務之後果。在此有一個變通的方法，可以不用繳增值之資本利得稅，就是在改變用途的當年給稅務局一封信，聲明根據稅法 45(2)條申請將出租或營業用的房子仍指定為主要住宅。正常情形下最多不得超過 4 年，稅法並要求須符合兩個條件:

- 申報各年的租金所得；
- 計算租金或營利所得時不得提列房子的折舊。

若發生下列情況，這 4 年之限期可以延長:

- 搬離主要住宅的原因是因納稅人本人或配偶在受雇工作上的需要；
- 納稅人或其配偶與雇主並非相關人士（指有血緣、婚姻或收養之關係）；
- 原來的家離納稅人或其配偶的工作地點比新家距離遠 40 公里或以上。

以上所說明的是整棟房子的用途改變，若只是部份用途改變，會不會影響整棟房子主要住宅的資格，以及若有影响時稅務之後果，詳見第 4.3.2 節。

4.3.3.2 出租或營業用房子改爲主要住宅

如果一棟房子原先是出租或營業用的，後來想改爲自住的主要住宅，在改變用途的當時，須當作以當時之公平市價出售，若有資本利得便須課稅。如果房子跌價時則可能有建築部份的終結損失（TERMINAL LOSS）-- 是一種非資本損失，土地部份則有資本損失（CAPITAL LOSS）。

 要訣	當房子由出租或營業用改爲主要住宅而跌價有損失時，應於當年申報建築及土地兩方面的損失，尤其是建築部份，若有終結損失，可立即用來抵減當年其他各類之所得。

改變用途時，房子若增值應繳稅，但在房子尙未實際出售而無錢繳稅的情況下，也有一個變通的辦法可延緩繳稅的時限。在改變用途當年給稅務局的稅表附一封信，引用稅法第 45(3)條申請到將來房子實際出售時，才申報資本利得而納應繳的稅。這封信最遲要在房子收回自用後次年 4 月 30 日以前提出來。有這樣的聲明之後，納稅人就可以指定那棟房子爲主要住宅，甚至於在最多四年以後才實際搬進去住那棟房子。

以上的聲明是有限制的。若納稅人及其配偶或配偶信託（SPOUSAL TRUST）於 1984 年以後，在改變房子用途前曾提列房子建築部份的折舊，則不可以提出聲明延緩繳稅。

4.4 非居民之房地產

非居民是指加拿大之非稅務居民。關於稅務或非稅務居民身份的認定詳見第 1.2 節。

非居民若持有座落於加拿大境外之房地產與加拿大稅務毫不相干。但若持有座落於加拿大境內之房地產就要受加拿大稅法之管制。茲就租金及房地產交易兩方面說明加拿大稅法之主要規定。

4.4.1 非居民之租金所得

非居民在加拿大擁有房地產，根居稅法應在收到租金時，就所收到之租金總額扣繳 25 %的稅（第 XIII 部份稅）予稅務局。譬如每個月的房租是$1,000 ，房客或非居民所委託的代理人有義務將其中的 25 %也就是$250 ，在收租的次月 15 日前繳到稅務局。若沒有這樣做，非居民可能會被罰款還要追繳稅款及利息，房客或代利理人負連帶責任。

25 %的稅就等於 12 個月的租金少收了 3 個月，只有 9 個月的房租進非居民房東的荷包。稅法上第 216 條又提供了一個變通的辦法。 25 %的扣繳照扣，但是若非居民在收租年度結束後二年內像稅務居民一樣申報一份所得稅表，註明根據稅法第 216 條，可以將租金總額減去各項合理的出租費用（也可提折舊）之淨租金納入所得，並以類似居民之累進稅率計算應繳的稅款（但沒有居民之稅款抵減額）。若應繳之稅款比原先每月扣繳 25 %之扣繳額低，就可以退稅。第 216 條款的引用是有選擇性的，若以這種方法計稅反而要繳更多的稅，就不要引用。以繳第 XIII 部份的 25 %扣繳更有利。還有，引用第 216 條在計算淨所得時提列之折舊，到將來非居民變賣處理該房地產時，尚須申報一份 216 條款的所得稅表，將歷年以來所提列的累積折舊退還

（RECAPTURE OF CCA），當然這是在房子增值時才會發生。

非居民不一定只是個人，也可能是一家公司，作爲公司的非居民，原則上是指不在加拿大註冊登記之公司。但有些情況下，公司雖然是在加拿大登記之法人，是加拿大的居民，但由非居民佔51％以上的股份，此等爲非加拿大人控制的公司，當其加拿大房地產交易時仍受與非居民一樣的限制。以下的例子說明非居民之租金處理及引用第216條款的效果：

甲公司是一家台灣公司，在加拿大擁有一房地產收租，1996年有關租金的資料如下：

租金總額		$50,000
折舊以外的其他出租費用	$5,000	
折舊	2,000	7,000
淨租金		$43,000
甲公司之稅務結果：		
i）若不引用216條款		
繳第XIII部份稅	($50,000 × 25％)	$12,500
ii）若引用216條款		
淨租金及應課稅收入		$43,000
第I部份稅	($43,000 × 38％)	$16,340
減：已繳部份	($50,000 × 25％)	($12,500)
尚需補繳稅款		$ 3,840

上述的例子就沒有道理引用第 216 條款。因爲引用後甲公司反而要多繳$3,840 的稅。另外，當甲公司出售該棟房地產時還可能要將折舊退還。

原則上，當出租費用較高時，引用第 216 條款較爲有利，否則扣繳 25 %還更有利。可以在房地產費用高（譬如有高額的貸款利息支出）之年度引用第 216 條款，費用低的年度扣繳 25 %。

事實上若出租費用高時，稅務局提供另一種更有效的變通辦法，就是非居民可以聲明就淨租金而非租金總額來扣繳，但必須在收租年度結束後之 6 個月內提報 216 條款之所得稅表。非居民必須委任一位加拿大的代理人來負責如期申報，否則稅務局將向代理人追繳“租金總額”的 25 %的應扣繳稅款。

非居民及加拿大的代理人應於新房客第一次付租前，或在舊房客租住下每年 1 月 1 日前，申報一份 NR6 表的聲明給稅局，才能就淨租金扣繳 25 %，且務必記得年度結束後 6 個月內提報 216 條款之報表。當然，如果上述甲公司的例子，引用 216 條款不利，就不應做 NR6 的聲明。

以下的例子說明做 NR6 聲明的好處:

【例】 張小姐是香港居民，在加拿大有一棟個人名下的房子收租，1996 年的租金資料如下:

租金總額		$20,000
折舊以外的其他出租費用	$18,000	
折舊	2,000	20,000
淨租金		$0
張小姐之稅務結果：		
i）若不引用 216 條款		
繳第 XIII 部份稅	($20,000 × 25 %)	$5,000
ii）若引用 216 條款		
淨租金及應課稅收入		$0
第 I 部份稅		$0
減：已繳部份	($20,000 × 25 %)	($5,000)
退稅		($5,000)

如果張小姐不做 NR6 ，每個月收租後將 25 %扣繳給稅局，到年底後之 2 年內申報 216 條款之所得申報表，可將所扣繳的$5,000 再全部退稅回來。若張小姐在 1996 年 1 月 1 日前做 NR6 。則在 1996 年全年所須扣繳的金額變成了：（$20,000 － $18,000）× 25 % = $500

但張小姐務必要在 1997 年 6 月 30 日前申報 216 條款之所得稅申報表，同時可以退稅$500 。

4.4.2 非居民之房地產交易

加拿大稅務局對於非居民在出售加拿大房地產時是否按所實現的增值利益繳稅較難掌握，所以設計一套特別的程序事先徵收全部或一部份的所得稅款。

當非居民之加拿大房地產交易時須以 T2062〔表 4.4〕之表格通知稅務局，該表格用以計算須繳納之稅款，應繳稅款原則上是:

（1）出售房地產的售價減去調整成本後的 33.33 %；

（2）建築部份如果曾經提列折舊，需要計算折舊退還之部份，估計適用之稅率，然後計算稅款。

如果不付 33.33 %的款項，非居民亦可提供可接受的抵押品。

稅務局大約在 6 ～ 8 週後發出完稅証明，必須收到完稅証明後，房地產方能完成過戶手續。如果非居民未取得完稅証明，賣方必須扣繳 33.33 %的"成交價"，而買方必須在購買該房地產當月月底後之 30 天內將扣繳的金額連同交易的細節呈交稅務局，若買方沒有代扣繳 33.33 %時，稅務局可能向其追繳該筆款項，須個人負責。

非居民所支付的 33.33 %的款項代表一種預估暫繳稅款（INSTALMENT），非居民不論是個人或公司在年底須就其應課稅資本利得申報所得稅表（與 216 條款之稅表分開另報一份）。一般來說，33.33 %的稅將比實際應繳的稅爲高，所以基本上都可退稅。原因是 33.33 %是按資本利得計算，而非應課稅資本利得（相當於資本利得的 75 %）。

【例】羅先生是居住台灣的非居民，1990 年以$30,000 在加拿大買了一塊地，1996 年以$100,000 出售給王先生。羅先生申請完稅証明的計算如下:

售價	$100,000
調整成本	(30,000)
資本利得	$70,000
33.33 %繳給稅務局	$23,333

年底，羅先生申報所得稅， 其應課稅資本利得是

$70,000 × 75% = $52,500

其應繳的所得稅計算如下：

聯邦稅$5,030 ＋ 26%×(52,500 － 29,590)	$10,987
非居民附加稅 52 %× 10,987	5,713
聯邦附加稅 3 %×$10,987	330
	$17,030
減：申請完稅証明時已繳稅款	(23,333)
退稅	(6,303)

4.5 房地產交易時之商品服務稅（ GST ）

房地產的商品服務稅（ GST ）是相當複雜的，所涉及的金額往往相當龐大，處理不當可能有嚴重的後果，所以當交易繁複時，最好諮詢專業的會計師和熟悉 GST 的稅務律師。

房地產主要可分爲住宅及非住宅兩類：

4.5.1 住宅類房地產之 GST

建築商（ BUILDER ）建造或出售全新、未被住過或翻修的住宅，應向買房徵收 7 %的 GST，而其土地及建造成本中所支付的 GST 可以退稅。若買方購置新屋作為自己或親屬的主要居住處，而屋價在 45 萬元以下時，可以申請新屋退稅（ GST NEW HOUSING REBATE ），最多不超過$8,750 。

建築商以外的人出售已住過（ USED ）的住宅類房子通常免收 GST 。但建築商建造住宅類房屋（不論是獨立屋、公寓、多單位的住屋）後，出租給他人居住，被視為以出租當時出售給自己，須付相當於整棟房屋市價的 7 %的 GST。將來出售時不必再付 GST ，但亦可退回土地及建造成本支付的 GST 。建築商的定義相當廣義，這一點須留意。

住宅類房地產除旅社外的租賃，房東不須徵收 GST 。

4.5.2 非住宅類房地產之 GST

出售非住宅類的房地產，賣方須徵收 7 %的 GST ，繳交稅務局。但當買賣雙方在房地產成交日若已註冊 GST 號碼，可以在成交後買方第一次要申報 GST 稅表時申報（ 1997 年 1 月 1 日前另要附 GST60 的表格），即可免繳 GST 。

商業樓宇的租金（包括基本租、地租、保險、水電費）要收 7 % GST 。

第五章

5

企業稅務

5.1 成立公司與否

5.2 新企業應注意事項

5.3 營利所得與受雇所得之分別

5.4 營利所得與財產所得之分別

5.5 企業之營利所得及費用

5.6 企業所得稅申報及其稅率

5.7 公司稅務規劃

5.8 購買企業

5.9 出售企業

5.10 公司資本稅

5.11 國際移轉訂價及非居民交易資訊呈報表格

第五章

企業稅務

本章介紹在加拿大經營企業的稅務問題，以便增強在加拿大創業的信心和能力。

5.1 成立公司與否

加拿大做生意與世界各國一樣不一定要成立一家公司，這裏的公司是指股份有限公司（LIMITED CORPORATION）。一般企業的經營也可以以個人獨資（SOLE PROPRIETORSHIP），合夥（PARTNERSHIP）或合資（JOINT VENTURE）的形式。當然公司乃是最普遍的一種經營企業的形式。

爲甚麼公司會成爲經營企業的主要型態？乃是因爲它的幾項優點。首先，公司在法律上責任有限。當公司經營不善或吃了倒帳而產生財務危機時，一般情況，債權人對公司的追索權只限於公司的資產，而不會涉及股東個人的身家財產，也就是說股東最壞的打算是把投資到公司裏的資金賠光而已，個人名下的產業不會受到牽累。如果沒有成立公司而以個人名義（獨資或合夥）來經營，有財務危機時情況就大不相同了。因爲企業的東主責任無限，債權人可以追究其個人負償還債務的責任。

以公司經營的另一個優點是公司在法律上處於一個法人的地位，乃是一個獨立的企業個體，所以要以公司爲主體來申報所得稅。企業如果賺錢有淨利時，公司繳公司所得稅。政府爲了鼓勵小型企業，若從事活動性（ACTIVE）的生意，所賺的頭 20 萬元只課 23 %的公司所得稅；若超過 20 萬元而又從事加工製造業的有限公司，另有減稅的優惠。但若不以公司型態而以獨資合夥的個人名義經營的話，所賺淨利納入個人之自雇所得，最少是 26 %的稅率，以累進稅率計算可能達到 54 %的邊際綜合稅率，所以企業如果獲利能力佳，公司是比較理想的經營型態。

永遠延續不受股東個人因素的影響是公司的另一個優點。有時向供應商詢價時，如果連個公司的頭銜都沒有，也許供應商不太愛理會。所以在一些情況下成立公司是做生意的一個必備條件。

公司雖然有上述的優點，卻未必與每一個經營企業的人有關。您的公司也許沒有甚麼財務的風險，開始經營的時候也未必會很賺錢，擺譜充場面不如在價格上給客戶優惠更能爭取到生意，在這種情況下就未必要成立公司，因爲成立公司也有不利之處。

公司設立須向省政府或聯邦政府登記，政府規定的登記費大約 300 元。自己進行可能因不熟悉程序及規定而發生很多困難，若找律師協助大概最少要多花 500 至 1,500 元的律師費。藉此提醒讀者，在加拿大公司的設立是律師的業務範圍，不像海外多由會計師來做公司登記，所以公司登記最好找執業的律師來做。當然要編製年度財務報表及申報公司所得稅最好是找專業的會計師。一般來說，會計師對公司之財務報表及公司所得稅之申報收費，要比個人方式經營申報個人所得稅收費高出很多。因爲事務比較繁雜，專業責任也較大。

公司方式經營每年尙須向省政府申報公司登記資料有無變東動的

年報（ANNUAL REPORT）〔表 5.1〕。連續三年不報，公司就可能被取消。如果公司名下有財產的話，這項財產就可能成爲無主的財產。譬如當初以公司的名義買一個房地產，如果未依規定申報年報而使公司被取消的話，公司就等於死了，名下的房地產不是屬於股東個人的，股東不能變賣處理這個房地產，必須費很大的周折，還要請律師至少多花三至四千元才能把公司再救活起來。準備股東大會、董事會紀錄等法律文件、都是成立公司以後要處理的事。

在稅的考慮上，企業賺錢公司可能比較有利，但若企業剛開始營業花費很大，商譽尚未建立，營業收入不是很多的情況下，前幾年可能都是虧損，這些虧損雖然可以在以後之七年內抵減公司的盈餘，但卻無法馬上抵減股東其他的所得，此種情況若以獨資或合夥之個人形式來經營企業的話就完全不同，因爲企業的虧損是自雇損失，此類損失可抵減個人其他任何種類的所得，包括薪資、利息、租金等。基於此考慮，在企業經營初期不賺錢的時候宜以個人的形式來經營，過幾年企業開始賺錢再來設立公司。

當然，每個人的情況都不相同，要針對個別情況，分析利弊，或諮詢專業人士，才能決定最合適的企業經營形態。

? 問答	問：加拿大設立公司對股東人數有沒有限制？

答：加拿大設立公司對股東人數沒有特殊限制，只要有一位股東即可。

? 問答	問：加拿大設立公司一定要有辦公室嗎？

答：設立公司不一定要另設辦公室，辦公室可設於家裏。

問答

問： 辦公室設於家裏會影響住家房子的主要住宅資格嗎？對地稅有影響嗎？

答： 家庭辦公室一般不會影響房子的主要住宅狀況，也不需要多繳地稅，但作爲辦公室的部份必須只佔住宅總面積的一小部份，而且沒有因要設立辦公室的緣故改變房子的結構，在提列家庭辦公室費用時不可提房子的折舊，詳見第 4.3.2 節。

問答

問： 公司登記需要有多少的資本額？

答： 一般加拿大公司的設立並沒有資本額的限制。所以往往以$1 、$100 、或$1,000 爲公司的股本是很常見的事。除非向銀行或金融機構借貸時，被要求具備若干資本額，以維持一定比例的借貸資本比率（ DEBT-CAPITAL RATIO ），或公司須公開上市，或經營某些行業才須要有一定的資本額，譬如經營旅行社，觀光局就規定最少有$15,000 的股本。

問答

問： 公司的股本如果只定作$1,000 ，假如公司開辦費就有幾十萬元，怎麼辦？

答： 原則上，股本如果只定作$1,000 ，開辦費中其他的款項就記爲股東墊款（ DUE TO SHAREHOLDERS ），算是股東墊給公司的錢，或公司欠股東的錢，將來公司有剩餘的現金，股東可以取回。如此，以公司的立場來說，與收支無關，只是負債的減少；以股東個人的立場來說，不是個人的所得，只是取回公司欠個人的錢，沒有所得稅的問題。

問答　問：如果公司在沒有營運的情況下，會不會被取消？

答：不會，只要做好兩件事：1）每年向省政府遞交年報（ANNUAL REPORT），見〔表5.1〕的範例，確認公司的地址以及董事等有否改變，並繳交金額不大的規定費用即可。2）向稅務局申報公司所得稅（T2 表格）。如沒有營運，便在營運活動項下註明“INACTIVE（未有營運）”見〔表5.2〕，並附上資產負債表及損益表。

問答　問：登記公司要聲明營業項目嗎？如果改變營業項目怎麼辦？

答：通常在爲公司登記命名時，可以在公司的名稱上顯示是那一種性質的公司，譬如某某貿易公司，某某建設公司等，顧名思義，讓人知道公司是做甚麼生意的。所以如果什麼生意都想做，可以取一個比較廣義一點的名稱，譬如某某實業公司，英文用“ENTERPRISE”。但是公司登記並不限制營業項目。事實上，在進行公司登記時，根本沒有要求登記營業項目或範圍，所以即使登記爲家具公司，但用來做貿易或音響生意，省政府也不會管。然而市政府卻可能管制，詳見第5.2.1節。

當公司向省政府或聯邦政府完成登記手續，省或聯邦政府會發出一張“公司登記証書”（CERTIFICATE OF INCORPORATION）見〔表5.3〕，聯同“公司備忘錄”（MEMORANDUM）及“公司章程”（ARTICLES）的一個複本寄給申請人。建議用一個公司會議紀錄的夾子將上述文件以及股東名冊、股票、股東大會及董事記錄裝訂成冊，好好保管。如果是委託律師辦理登記，他會給您釘裝；並可以一定的費用給您保管，及隨時更新。假如公司名下有大量產業，公司登記資料最好請律師負責更新及保管，以免因小失大。

問答

問： 加拿大的企業有沒有營業稅？

答： 加拿大的企業沒有根據營業額的多少而課徵的營業稅，只有當營業收入減營業費用後，有淨利時才有所得稅課徵。所以不論營業額有多大，若沒有扣除成本費用後的淨利，就沒有稅。根據淨利課徵的所得稅，在公司是公司所得稅，在個人形式的獨資、合夥則是個人所得申報項下的自雇所得。

問答

問： 公司在命名時，用“ INC.”，“ LTD.”，“ CORP.”有什麼不同？

答： 股份有限公司用“ INC.”，“ LTD.”，“ CORP.”其中任何一個均可。但要了解的是，在加拿大用“ COMPANY ”為名，是指非有限公司的個人獨資或合夥企業，所以稱為某某“ CO.,LTD.”並不是很合適的命名方式。公司命名通常分三段，第一段是一個獨特的名字，第二段描述公司的性質，第三段選“ INC.”，“ LTD.”，“ CORP.”其中之一；譬如“ XYZ TRADING INC.”就符合命名的規格。

5. 2 新企業應注意事項

在加拿大做生意無論是登記公司或以個人方式之獨資或合夥經營，剛開業時所需辦理的手續大致沒有什麼分別，茲列舉如下：

5.2.1 營業執照

在加拿大經營企業無論設立公司與否，只要有營運，尤其是 在公司所在地之當地有售貨或提供服務並收費的情況下，應向當地市政府申請一張營業執照（ BUSINESS LICENSE ），範本見〔表 5.4 〕。營業執照與第 5.1 節所提到的公司登記証書不同。公司登記証書是由聯邦或省政府在申請登記公司時發出的，只做一次；營業執照則要每年向市政府申請換發一次，並繳納規定費用，是市政府的財政收入之一。申請營業執照時，市政府的執照部門會要求提供營業項目。若經營多個性質不同的項目時，他們也許會要求您申請不只一份營業執照。每份營業執照因營業的種類須繳納不同金額的規定費用。市政府會就申請的營業項目，審查營業地點的地區規劃（ ZONING ）是否適合經營所擬的營業項目。譬如做手工藝教室的可以在住宅區的家裏做，如果經營雜貨店、開餐廳就必須在零售業的區劃內，停車位、廁所設施可能有一定標準要求，如果設立工廠或進口批發化學藥品可能要在工業區，對電力、防制污染等均有一定的管制。

申請營業執照時，市政府可能進行檢查（ INSPECTION ）手續，或其他主管部門機構的審查，通過後才會發給執照，進行合法經營。

市政府對在自己住宅內經營企業，譬如貿易公司所發的營業執照往往有所限制，原則上不可以雇用自己家庭成員以外的人來家裏上班，大概是由於不合工作安全的要求。同時，對在家裏儲存貨物的數量亦有所限制，避免防礙公眾利益及安全。

5.2.2 銀行開立企業帳戶

一個企業無論是公司與否，從設立之初起，就最好能在銀行或其他金融機構開立一個企業帳戶（BUSINESS ACCOUNT），企業的金錢往來不要與私人的混在一起。也許銀行企業帳戶的收費比較高，但這些費用是可以報銷的，而且銀行的月結單（BANK STATEMENT）及回籠支票（CANCELLED CHEQUES）是記帳的重要憑証，稅務局查帳都要查看企業帳戶的往來憑証，如果與私人帳戶混淆不清，可能會產生許多麻煩。

開立銀行帳戶後，原則上所有營業收入款項應全數存入銀行，企業的支出可以用支票支付的，盡可能以企業的支票支付。企業也可以用企業的信用卡支付各項支出。

爲方便應付一些小額的現金支出，企業宜設立零用金的制度，提撥一定額度（譬如$200 或$500）的零用金，每次支出現金保留單據，待零用金用到一定額度時，統計用掉的金額及用途帳號，開立一張等額抬頭爲“CASH”的現金支票補充零用金。

5.2.3 確立會計年度、記帳及憑証制度

在加拿大一般公司可以選擇不同的會計年度，不一定都以 12 月 31 日作爲會計年度的年底。會計年度也不一定和稅務年度一致，但當然沒有必要會計年度結帳一次，報稅又另外準備一套財務報表。稅法對新公司選擇會計年度沒有特殊限制，唯一的限制是一個會計年度不能超過 53 週。譬如一家公司設立於 1996 年 3 月 20 日，若訂 3 月 31 日爲會計年度終結，則第一個會計年度將是 1996 年 3 月 20 日到 3 月 31 日；

只有 11 天也要做一份財務報表，報一份公司所得稅，就似乎不划算。如訂定 2 月底，第一個會計年度 1996 年 3 月 20 日至 1997 年月 2 月 28 日就將近 12 個月。但若設立及開始營運是在 3 月 25 日，訂 3 月 31 日年結，第一個會計年度就可以是 1996 年 3 月 25 日至 1997 年 3 月 31 日。

當然會計年度的選擇也不必太短視只看第一年，因爲一旦選定了會計年度，申報了第一份公司所得稅表後，除非有很正當的理由，稅務局是不准任意變動所選定的會計年度的。所以考慮會計年度時尙須考慮營業的季節性，如果在旺季最忙的時候來結帳，豈不自找麻煩，所以最好旺季結束後才做年度結帳及報稅。

另一方面的考慮是稅務規劃的靈活性，因爲稅法上規定公司除了平常的薪酬之外，年終發一份分紅獎金（ BONUS ）給股東或員工是可以的，只要是根據該年度的貢獻，該項支出可以在年度內作薪資費用抵扣營業收入來計算公司的淨利。甚至這項分紅獎金不在年度內而在年度終結後的 180 天內也可以。所以如果公司的會計年度的年底訂在 7 月 5 日以後，就可以將一部份的薪酬到次年才發放，卻做當年度的費用支出。譬如某公司會計年度的年底設在 7 月 31 日，因在 1996 年獲利甚豐，已超過 20 萬元，於是發一份年度分紅獎金給兩個主要的股東。但這兩個股東 1996 年已有很多個人收入，所以擬在 1997 年初 1 月 27 日前才真正發放分紅，納入股東 1997 年的個人所得。

至於非有限公司的個人獨資或合夥企業，聯邦政府 1995 年的預算案已公佈必須以 12 月 31 日爲年底，所以不再有以上稅務規劃的機會。

加拿大政府沒有規定企業採用那一種會計制度。用那一種帳冊或發票格式、怎樣做記帳憑証等完全可以自由選擇。會計帳冊及憑証也不需要送到稅局，企業可自行保管備查。

企業可以根據其規模及人力來決定人工或電腦的記帳制度。在營業收入方面應建立銷貨日記帳，記錄銷貨金額及代政府收的消費稅（GST，PST等）。營業支出方面須保留原始憑証作爲確實有該項支出的証據。若以支票支付，最好在原始憑証之單據上記錄以支票付款的日期及號碼。最理想的做法是編製傳票（VOUCHER），一方面避免重複付款，一方面便於日後查帳。

至於股東或個人代公司或企業墊付的支出，須蒐集保管所有原始單據作憑証。企業可以開出支票歸還私人。但小型的家族企業可以只在帳上借記費用支出，貸記股東墊款（DUE TO SHAREHOLDERS）或業主提存（OWNER'S CAPITAL）即可，不需要浪費一張支票，因爲很可能只是把左邊口袋的錢，放到右邊的口袋而已。

5.2.4 確定統一商業編號（BUSINESS NUMBER）

以往，一個企業在加拿大稅務局對不同的部門須要登記不同的帳號，包括商品服務稅、公司所得稅、雇主扣繳員工工資、及進出口報關，重複登記四次。企業其中一項資料變更（譬如地址變更）便要向同屬稅務局之下的四個部門逐一通知，手續繁複。

自 1994 年開始試辦到 1996 年，全面實施稅務局的四種帳號合併爲一，就是統一商業編號。在辦理公司的登記手續後不久，就會自動收到稅務局的一份通知，告知公司的統一商業編號，是一組 9 個號碼的數字，每一個企業有其獨特編號。 9 個號碼之後有兩個英文字母，分辨是上述的那一種帳號，譬如公司所得稅是 RC，商品服務稅是 RT、雇主薪資扣繳是 RP、及進出口報關是 RM。最後有一組 4 個號碼的數字分辨同一企業內的部門。例如某公司的統一商業號碼下所得稅帳號是： 987654321RC0001 。　公司設立後不久就會收到上述公司所得稅的帳號，並要求確認公司的一些資料是否正確、補充股東董事的資料，簽名後寄回。但此時唯一已開設的只有公司所得稅帳號而已，如要註冊商品服務稅、雇主薪資扣繳、及進出口報關的帳號，尙需塡具資料個別申請，也可以在將來需要時分別打電話去申請。

5.2.4.1 註冊商品服務稅（GST）號碼

GST 是 GOODS AND SERVICES TAX 即聯邦商品服務稅的簡稱，是一種加値型的消費稅。當企業年營業額達到三萬元以上，而銷售的商品或所提供的服務是應課稅的項目，就必須向稅務局註冊商品服務稅（GST）號碼，在售貨或提供服務時向客戶收一般是 7 %的 GST。如果以往四季的營業額不滿三萬元，可以選擇註冊或不註冊 GST 號碼。註冊的優點是企業在營業上付出的 GST 可以退回來，缺點則是加重客戶的負擔而削弱競爭力。譬如經營一家理髮店，如一年的營業額不滿三萬元，在不註冊 GST 帳號的情況下，理一次髮收費 10 元，客戶付 10 元就可以了，有 GST 號碼的話，就要加收$.70 的 GST。但是有 GST 號碼的理髮店買洗髮、染髮材料，每月租金、電話費等所付出的 GST 卻可以退回。

5.2.4.2 註冊雇主薪資扣繳（PAYROLL DEDUCTION）號碼

不論是公司或個人，當企業決定要開始發工資時，首先要向稅務局登記一個薪資扣繳號碼，或稱爲雇主號碼（EMPLOYER NUMBER），並負責：

- 發薪時，依稅務局公布當時的稅率扣繳雇員之個人所得稅、CPP（加拿養老金計劃）之供款、EI（就業保險）的保費，並加上其應負擔的 CPP 供款。EI 保費雇主的部份，則於發薪日之次月 15

日以前繳納。

- 次年 2 月底以前，填備員工的薪資扣繳憑單 T4 表格，遞交稅務局，並發給每一位員工以供其個人報稅。

? 問答	問： 老闆或公司的股東可以自己拿薪水嗎？是否也須要註冊雇主薪資扣繳號碼？

答： 如果企業以個人形式的獨資或合夥經營，將營業收入減去營業費用後的淨利作為自雇所得申報，不得列做薪資支出，所以不必註冊雇主薪資扣繳號碼。但若雇用本人或合夥人以外的雇員，即使是自己的配偶、子女或親人，都要註冊雇主薪資扣繳號碼，依規定扣繳。

企業若以公司形式經營，股東自己拿薪水一樣要有雇主薪資扣繳號碼，並完全依一本般雇員的身份作薪資扣繳，以及申報個人的薪資所得，即使是公司的唯一股東。

5.2.4.3 註冊進出口號碼

經營進出口貿易的企業，尤其是要進出口報關時必須註冊進出口報關號碼。

5.2.5 申請省銷售稅（PST）號碼

加拿大各省有不盡相同卻大同小異的省銷售稅（或稱為零售稅，PST）。自 1997 年起瀕大西洋的三個省份開始將其 GST 及 PST 合併為一，簡稱 HST ，稅率採 15 %。目前各省的 PST 稅率不同，譬如安大略省 8 %，卑詩省 7 %，亞伯他省則不課徵 PST 。

當企業所銷售的商品或所提供的服務是應課稅的項目，如服裝、建築材料、電腦軟件、電器用品、酒、法律服務、汽車修護等，不論營業額多寡均須申請 PST 號碼，向客戶徵收 PST ，解繳省庫。

問答	問： 我怎麼知道所出售的商品或所提供的服務要不要徵收 PST 或 GST ？

答： 最簡單的方法是到市面上去買同類的商品或服務，看看帳單上有沒有扣 GST 或 PST 就知道了。正確的做法是打電話去稅務局或省政府銷售稅主管機構查問。

如果企業經營批發的生意，而出售的商品乃應課稅的項目時，須申請 PST 號碼。但出售其商品給零售商時不須收 PST ，只需登記該零售商客戶之 PST 號碼及相關資料。而在向供應商批購商品時亦不需付 PST ，只需出示 PST 號碼之文件給供應商，條件是所批購之商品非自用而為轉售；當所批購之商品或資產轉為自用時，批購時免付之 PST ，須在申報 PST 稅表時補繳給省政府。

GST 與 PST 稅表申報及計算原理不同。 GST 方面，企業繳給稅局的是淨額； PST 繳給省淨府的則是毛額。以一個簡化的例子來說：

【例】某服飾公司在某個月份進貨$1,000 ，加兩成後，以$1,200 將服飾出售，進貨時只需付 7 % GST ，即$70 。這批服飾是因轉售的目的而進貨，因此不必繳 PST 。出售時，則以售價$1,200 的 7 %收取 GST ，及 7 %（假設在卑詩省）的 PST ，各$84 。

GST 方面： 收到$84 ，減去進貨時付出之$70 ，以淨額$14 繳交稅務局。

PST 方面： 向客戶收$84 ，扣除政府給的佣金（金額很小，可忽略），全數解繳省政府。

簡表說明如下：

	原價	GST	PST
售價	$1,200	$84	$84
成本	$1,000	70	0
淨利	200	14	84
		↓	↓
		繳交稅務局	繳交省政府

5.2.6 申請勞工賠償局（WCB）號碼

企業如果有雇用員工支薪，或有部份營運分發給承包商之情況，則須申領 WCB 號碼，雇主依照核定之費率繳納保費。當雇員（包括實際參加營運之股東，不論是否支薪）或自己沒有 WCB 之承包商，在工作當中有傷病發生時，可以向勞工賠償局領取因傷病而損失的工資或報酬的賠償。這是一種強制性的保險。

5.3 營業所得與受雇所得之分別（BUSINESS VS. EMPLOYMENT INCOME）

自雇之營利所得與受雇之薪資所得，有很重要的分別。稅法上對這兩種不同來源所得之計算，有相當不同的對待。在計算自雇所得時，營業收入在抵減任何的合理的營業費用後，其淨利才納入所得。而對於受雇者薪資所得，除非在少數的特殊情況下（見第 2.4.7 節），很少有可以抵減的費用。因此我們說拿“死”薪水，因爲拿工資是沒有什麼可以報銷的。

以醫生爲例，如果醫生在大醫院裏做駐院醫生拿的就是薪水，如果自己開診所拿的就是自雇之營利所得。所收到的薪水幾乎全部要納入所得；自己做老闆開診所時，許多營業上的開支都可以部報銷，最後有淨利才納入所得。這個例子兩者的分別相當明顯。但在某些情況下不是那麼容易分辨。由於稅務局與納稅義務人立場相反，稅務局傾向以薪資處理，因可徵較重的稅；納稅人傾向以營業所得處理，因可報銷費用，付較少的稅。

雖然沒有明確的分界，但一般來說，若符合下列的情況，極可能被認爲是受雇拿薪水:

- 有固定的上下班時間；
- 根據指示做事；
- 使用公司的設備、工具、在公司裏有自己的辦公室；
- 參加公司的牙醫團體保險、養老金計劃等福利。

另一方面，下列情況則很可能被認爲是獨立的承包商，賺的是自雇營利所得:

- 只要把工作完成即可，不須定時上下班；
- 自主工作，只向公司定期報告進度，公司沒有指示如何做；
- 自備設備工具，可能在家工作，只會定期到公司參加會議；
- 向公司開發票拿報酬，不參加任何員工福利；
- 向不只一家公司提供服務。

以企業的立場，則傾向聘請獨立之契約承包商而非一個雇員，因爲可以省掉薪資扣繳中 CPP 供款及就業保險費之雇主承擔部份。但如果企業聘請了一位員工後，卻把他當做契約承包商，稅務局將追究雇主應負的責任。企業爲免除麻煩，如有懷疑時，可向稅務局填具 CPT-1 的表格，提供公司與所請的人之間關係的細節，請稅務局以書面釐清是否當作雇員，應否做薪資扣繳。

5.4 營利所得與財產所得（ BUSINESS INCOME VS. PROPERTY INCOME ）及營利所得與資本利得（ BUSINESS INCOME VS. CAPITAL GAINS ）的分別

個人或公司可能因不同的投資目的而以不同的理由購置或持有財產。譬如同樣是買一塊地，某甲可能用來蓋他的主要住宅，這樣無論持有的期間或出售時均沒有所得產生，也沒有任何所得稅的問題。某乙則可能將這塊地出租，於是在持有期間收到的是租金，將來出售時，所增值或貶值的部份作爲資本利得或損失， 75 %應課稅。對某乙而言，他所持有的是租用財產（ RENTAL PROPERTY ）。某丙則可能將這塊地重新整理，埋設管線，開發成一塊一塊的建地待價而沽，部份土地並劃做停車場收取停車費。於是，持有期間收到的停車費是營利所得，將來出售建地時所賺的錢也是營利所得，全數須納入所得。若有虧損也全數被承認，可以抵減任何所得。對某丙而言這塊土地是存貨而非財產，某丙的身份可能被認定爲建築商。

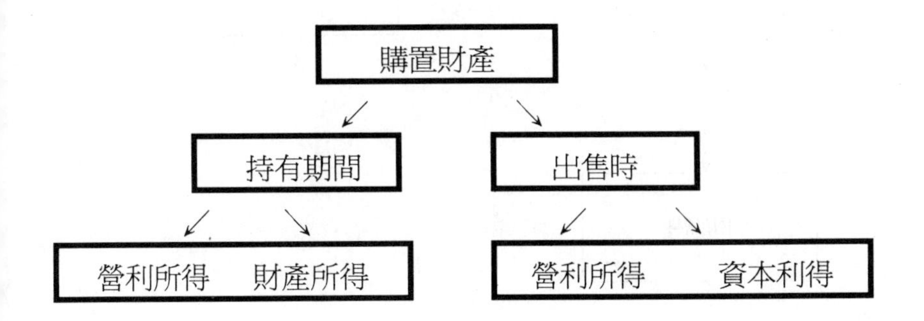

股票之持有也有類似的區分，對証券商而言持有的股票是一種存貨，隨時準備進場交易。所以不論在股票持有期間所分派到的股息，或出售時賺賠的錢，都當作是營利所得（或虧損）。而對於非專業証券商的股票持有人而言，持有期間分派到的利息屬於財產所得，將來出售時賺賠的錢則屬於資本利得或損失。

營利所得或財產所得的分辨，主要是根據納稅人持有該項財產之動機：投機或投資，以及納稅人本身及其雇員活動及參與的程度。若持有的動機是短線的投機可能是營利所得，積極參與日常營運也歸類做營利所得。反之持有財產之目的在作長期投資，而且並不積極的活動或參與經營，這樣應納入財產所得。

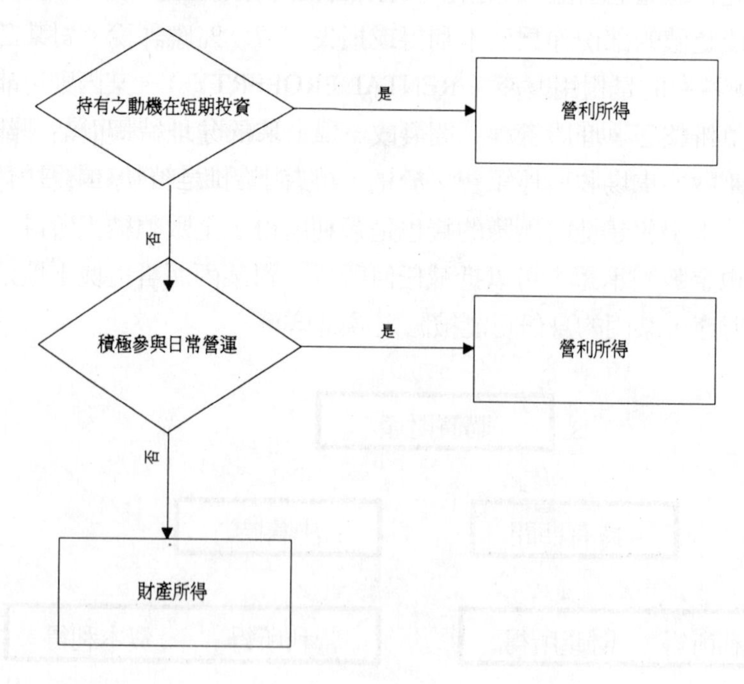

歸類做營利所得或財產所得，在稅務上有什麼不同的意義呢？以下分別說明:

- 個人所得中之財產所得被視爲一種被動的所得，因爲用錢來賺錢，勞心勞力較少，坐在家中就被動地收到了。除租金以外，在計算可以購買 RRSP 的工作所得（ EARNED INCOME ）時，財產所得是被排除於外的；而營利所得則算是工作所得，其中的 18 %在以後的年度可以購買 RRSP （見第 2.4.1.3 節）。在計算托兒費(CHILD CARE EXPENSE ）時，財產所得同樣不屬工作所得，不符所得扣除之條件，營利所得則是工作所.得（見第 2.4.2 節）。
- 公司所賺的營利所得有一些特殊減稅措施，譬如小型企業減稅（ SMALL BUSINESS DEDUCTION ），必須是主動之營利所得才符合資格，每年 20 萬元以下之淨利適用 23 %的稅率。反之，如果公司持有的是財產或投資，產生的是財產所得的利息，股息、租金、專利權等被動的所得，就不符合小型企業減稅，所賺的每一塊錢都要付 45 %的稅。但有一破解，公司收到的雖是被動之財產所得，若雇用 5 人以上之全職員工，算是積極參與日常營運而被當做是營利所得，可以適用小型企業減稅（詳見第 5.6 節）。
- 所得歸源法則（ ATTRIBUTION RULES ）原則上是針對親人之間財產所得之移轉分散，而非營利所得（見第 3.6 節）。
- 非居民在加拿大經營企業之所得適用第 I 部份的所得稅。稅率與稅務居民相似，但無稅款抵減。財產所得則是根據第 X Ⅲ部份之稅法，原則上對所得總額扣繳 25 %。財產的交易均產生資本利得或損失，適用第 I 部份的所得稅法。

財產交易時，所產生的是營利所得抑或是資本利得，有時並沒有明顯的分野，但稅務的處理上卻有相當大的不同。尤其是產生巨額之利益時，納稅人傾向用資本利得處理，因爲賺的錢只有 75 %納入所得，而稅務局傾向以營利所得處理，可以多徵點稅。因此歷年來發生了許多具爭議性的案例。

納稅人是否經營一個企業，乃是事實認定的問題。多年來法院發展出一些分辨營利所得或資本所得的要領，稅務局也公佈了解釋公告 IT-459（1980 年 9 月 8 日），製定分辨之指導原則。

法院分辨時所考慮的主要是：

- 納稅人在處理財產的方式上是否和專業的經紀商一樣？
- 持有之財產是否給持有人帶來個人之享受或產生所得，抑或購買財產的目的純粹只在出售？
- 納稅人購買財產之動機是純屬銷售以謀利，還是有長期投資的打算？

另外一些常被引用的分辨原則包括：

- 同類交易發生之次數的多寡及頻率：個人慣性地從事某項活動並謀取利益，交易的次數多而頻繁，大概會被歸爲經營一個企業，即使這不是他的主業。譬如一位醫生經常買賣房地產，就可能當做同時經營企業。另一方面，交易與納稅人行業間之關係也是考慮因素。交易之性質與納稅人之行業愈近，往往是其經營企業的有利証據。譬如在房地產企業受雇，又經常買賣房地產謀利，被視爲經營企業的機會較大。
- 交易的性質：即使不是經常習慣性的進行交易，若性質上屬於一種商業行爲（AN ADVENTURE OR CONCERN IN THE NATURE OF TRADE），亦可能被歸爲營利所得，法院會考慮購置的目的，量的多寡，買賣方式，以及出售之理由。譬如法院案例中曾經有人買了大量的建築用泥土，遠超過個人的用量，而又非投資的性質，後來此人又將這些泥土出售賺取利潤，就如同一般建材商一樣，此案例法院判決該人的利潤爲營利所得。

- 納稅人的動機：若納稅人購置財產的動機在於交易以謀利，賺的錢是營利所得，譬如地產公司買土地當做一種存貨，証券商買賣債券股票存貨，視作純爲謀利。地產公司的土地及証券商的証券，出售時或賺或賠將是營業利益或損失。另一方面，一般人投資証券目的在賺利息或股息，持有証券期間賺取的是財產所得，出售時之賺賠則是資本利得或損失。法院經常問以下問題來判定納稅人的動機：
  - 納稅人在購買時之主要動機（Primary Intention）及次要動機（Secondary Intention）是什麼？納稅人是否意圖當第一個適當機會出現時就出售該資產？或者該財產之購買純粹爲了投資？
  - 納稅人有否主動吸引買方來買該資產？
  - 納稅人有否採取一些步驟來增進利潤之潛力？（意圖提高毛利之動作可能建議買的動機不是投資而已。）
  - 財產的性質如何，會有孳息產生抑或純爲個人享用？

法院之判例中曾有一件原先被判爲營利所得，然後上訴平反爲資本利得的案例。該納稅人買了一塊土地原先想蓋商場，已獲市政府的批准，後來因爲毗鄰之業主改變心意不想開發，不能達到市政府的要求而計劃作罷，納稅人將土地的一部份售給一個主動找上門的買方。在開發計劃受挫的情況下，沒有証據顯示有轉售土地的次要動機，法院因此判定爲資本利得。在另一個相似的案例中，出售土地以謀利的次要動機顯著而判定爲營利所得。當主要動機不能達到時，事件中的次要動機就成爲判別之主要考慮因素。

5.5 企業的營利所得及費用

按照一般性的原則，在稅務上營利所得必須根據共同接受之會計原則（ GENERALLY ACCEPTED ACCOUNTING PRINCIPLES, GAAP ）計算，並經過稅務上的調整。

共同接受之會計原則是以應記基礎或權責發生制來記帳。原則上銷售已經成立，發票開給客戶時，無論收到客戶付款與否，都要納入當期的營業收入。已經發生的費用，不論實際已否付款，都應列支費用。 GST 及 PST 之計算也採取應記基礎，營業收入中若含代政府徵收之 GST 、 PST ，則按應記原則扣除，以計算企業的實際營業收入。

當賺取營利所得時，並不須在收到營業收入時做任何的扣繳。如果個人提供服務給一個機構，若能明確的介定與該機構的關係是獨立的契約承包商而非雇用關係時，所開發票上應得之款項全額受付，不會被扣除任何個人所得稅， CPP 供款或就業保險費（見第 5.3 節）。企業不論是個人或公司型式，當獲利甚豐時，稅務局可能要求企業分期預估暫繳，到年度結束後再結算申報，多退少補。

一般而言，如果能顯示一項費用支出乃是企業賺取營業所得所必須付出的，而且在合理的範圍內，那就可以列支。少數的幾個例外下文會有說明。

企業支付的 GST 不是營業費用，只要企業所出售的商品或所提供的服務屬 GST 應課稅項目，不論 GST 稅率是 7 %或 0 %（有些商品或服務雖然是應課稅項目，但銷售時不必收 GST，例如外銷）且註冊 GST 號碼時，所支付的 GST 均可以申請退回。

常見的營業成本及費用如下：

5.5.1 銷貨成本

一般是買賣業或製造業才要計算銷貨成本。計算的方法是：期初存貨加上本年度之購貨（製造業除材料外加上直接人工成本、及承包人之費用及其他間接費用），減去期末存貨，就是銷貨成本。營業收入減去銷貨成本就是企業毛利。

由以上的計算可知，期末存貨對於企業營業所得有很大的影響，稅法要求企業的存貨，以成本與市價孰低法計價。成本一般包括購貨發票上的金額加上關稅、省的消費稅（ PST ）、運費、保險等。製造之商品存貨則另包括直接人工成本及分攤之間接費用。

在存貨流轉的假設上，後進先出法已在法院案例上出現不少的爭議，雖然並無明文規定不准使用，但在法庭及稅務局查稅的程序上均不准使用後進先出法。

稅法上規定企業不得任意改變存貨方法使營業利潤降低。因此企業前後年度所採用的存貨方法應一致，原則上次年的期初存貨應與前一年的期末存貨一致。

5.5.2 薪資

企業雇用員工所發的薪資總額加上雇主所負擔的 CPP（加拿大養老金計劃）供款及就業保險保費，是企業的營運費用。

 要訣	公司可經過董事會之決議，在年度結束後 180 天內才實際發薪，卻在該年度提列薪資支出。

5.5.3 折舊

會計上及稅務上對企業資本支出的處理，有相同亦有相異之處。

相同處，資本支出（通常指金額在$200 以上，使用壽命一年以上資本財之支出）不可於當期報銷，須分數年攤提。

相異處，稅務上對折舊有更嚴之規定與限制。稅務上折舊稱爲 CAPITAL COST ALLOWANCE，簡寫爲 CCA，有許多複雜的規定。

基本上，稅務上將資本財歸於不同類別（CLASS），每年就不同的類別提列折舊，大部份的資產類別採用"餘額遞減法"（DECLINING BALANCE）攤提折舊，企業最多可以對該類資產之未折舊資產成本（UNDEPRECIATED CAPITAL COST,UCC）提列一定比例的折舊，該折舊額使次年之 UCC 等額降低。

在購買資產的第一年，折舊率只准提一半。常見之稅務折舊率如下:

資產	類別	折舊率
建築	1	4%
傢俱設備	8	20%
電腦硬體	10	30%
汽車	10，10.1	30%
大部份電腦軟體	12	100%
成本$200 以下之工具	12	100%

企業並不需要提列稅法容許的最高折舊額，可以少提，甚至不提。

要訣

如果預期企業將會有盈利，即使在虧損的年度仍在稅法容許的範圍内提列最高的折舊，因爲虧損可以在以後的七年内抵銷盈餘，減低稅負。

5.5.4 汽車費

原則上，汽車費用（AUTOMOBILE EXPENSE）的報銷是依據汽車用於營業用途（BUSINESS USE）上之百分率計算。所以每次上車最好做一行車日誌，多少公里用於營業用途，多少用於私務，年底時統計全年營業用里程佔該車輛總里程的百分率，該輛車可以報銷的費用即以該百分率來計算。

可以報銷的汽車營運費用包括：汽油費、汽車保險費、維修、洗車、BCAA 拖車的服務年費等。汽車的折舊則以每輛車不超過$25,000加 PST（註冊 GST 的企業可加 GST）之成本提列。

如果計算各輛車之營運費用、折舊及營業用百分比很麻煩時，可以用一種速算法。一家企業的全年營業用里程中 5,000 公里以下之里程以每公里$0.35 計算，超過 5,000 公里則每公里$0.29 計算。企業可在此限額內報銷。若雇主以上列計價方式付費給員工作爲使用其私人汽車於企業營運用途之津貼時，雇員收到此津貼不必納入所得，而企業則可報銷費用。

問答

問：要報銷公司的汽車費用，須以公司的名義買車嗎？

答：不必，即使屬於股東個人名下的汽車，若用於營業用途，一樣可以報銷公司的費用。而以公司的名義買車，算是公司的資產，只要主要（50％以上）用於營業用途就可以退 GST。但若公司的車子非純粹用於商業用途，股東或雇員私用部份的汽車費，應計算一個總數，稱爲備用費（STANDBY CHARGES），作爲股東或雇員之應課稅福利（TAXABLE BENEFITS），是一種個人薪資類所得。註册 GST 號碼的企業每年計算應課稅福利中 GST 的部份，包括汽車私用福利，然後解繳國庫。備用費的計算及 GST 的解繳增加公司的不少麻煩，所以非純粹營業用的汽車，不一定要以公司的名義購買。

? 問答	問：給汽車加油時，要不要告訴加油站把公司的統一企業編號寫在收據上，將來才能報銷？

答：不必，加油站要這個編號沒用，反而他們要將加油站的 GST 號碼寫在收據上，將來您才可以退回付出去的 GST 。

買車時的貸款利息支出限於全年$300 或每天$10 ，若貸款之期間由年初到年底時，一輛車最多最多可報銷$3,650 。

如果不是買車而是租車的話，在稅務上又如何處理呢？首先要看租車的租約（ LEASE ）怎麼訂，若租約訂定租期滿了的時候，承租人可以極低價格，甚至無價取得汽車之所有權，則該車不能以租金報銷汽車費用，而只能攤提折舊。而一般的汽車租金支出的報銷限於下列三個金額之最低者：

- 實付租金
- 每月$650
- 實付租金×〔（ 24,000+PST*) / (0.85 ×汽車的訂價 LIST PRICE ）〕

  *在不退 GST 的情況下，另可加 GST

所以原則上租太貴的車，每月租金超過$650 的部份不得報銷費用。可報銷租金是依營業用之百分比來報銷，與買車的情況並無不同。

須注意的是，由住家到辦公室間往返之汽車里程算是私用，但若順道去拜訪客戶，採購或辦其他與企業有關的事務，則算是營業用途，車上必須經常放置工具，商品等為營業所需時也算時營業用。

5.5.5 餐飲及交際費

請客吃飯、打高爾夫球，看球賽所花的交際費（ FOOD,

BEVERAGES AND ENTERTAINMENT），以及旅行時、參加大型會議時的餐飲費支出，在合理範圍內可以報銷 50 %，能退還的 GST 也以實付 GST 的 50 %計算。

有無濫用此項費用常是稅務局查稅的重點之一，企業除了要保留單據外，最好有良好的紀錄，在什麼場合，請了些什麼人，是否與企業的營業利益有關之人士接受招待。

稅務上對奢侈的娛樂設施（譬如遊艇、招待所、高爾夫球場）等的使用費及維修費，參加鄉村俱樂部，高爾夫球俱樂部之入會費及年費一律不准報銷。

問答	問： 交際費的報銷有沒有限於營業額的百分比？

答： 沒有，只要在合理的範圍內便可。

5.5.6 家庭辦公室

若把辦公室設在家中，只要符合下列條件即可抵減家庭辦公室（HOME OFFICE）費用：

- 是主要的營業場所，或
- 專門用於營利目的，並經常性、持續性招待客戶或病人。

若符合上述條件，一部份家庭的經常性開支就可以報銷，報銷百份比以家庭辦公室之面積佔總面積的比率或房間數來計算。譬如營業用的房間佔 200 平方呎，家庭總面積是 2000 平方呎（可扣除廚房、廁所等公共設施），於是可以報銷 10 %。若家中有 5 個房間佔其中的一間，可報銷 20 %。稅務局接受下列家庭開支之一定比率報銷：

- 租金

- 貸款利息
- 地稅、保險
- 水電費、電話基本費
- 清洗及維修費、庭院整理、割草費
- 用品雜支。

自有的房子辦公營業用部份，亦可攤提折舊，但一旦提了折舊就不能再享受“主要住宅”的稅務優惠了。（見第 4.3.2 節）

稅法上規訂家庭辦公室的抵減不得超過企業營利所得，換言之，家庭辦公室的費用不得創造或增加營業損失。但當年度不能抵減的金額可遞延到以後的年度，在將來抵減營利所得。

5.5.7 利息及融資費用

稅務上企業為謀取營利所得或財產所得而借貸之款項，其支付或應付的利息費用可以抵減。但法庭上對於利息支出可否抵減，一般採從嚴的解釋。為免濫用，稅法上亦有限制：

- 必須有支付利息的法律上義務；
- 借來的款項須用於賺取所得，而該所得非免稅的；
- 支付的金額必須合理（例如不得超過市場借貸之利率）。

稅法對於支付給非居民的利息費用之抵減有所限制。被稱為“瘦資本化法則”（ THIN CAPITALIZATION RULES ）。非居民之股東若佔 25 %以上投票權之股份，或所持股票佔發行股權 25 %以上時，公司向這種非居民股東（包括股東本人或其有血緣、婚姻、收養等關係的關聯人士）借貸之負債，不得超過股東權益（ EQUITY ）的三倍。當負債資本比率超過 3： 1 時，對超過部份負債所支付的利息費用不可抵減。

當公司發行股票或債券、公司重組時所花的融資費用，包括律師費、投資証券商的佣金、包銷費、行政及廣告支出等，在稅法上容許以五年之期間攤銷。

5.5.8 廣告及推廣費用

當主要的市場在加拿大時，在外國媒體包括報紙、期刊、廣播、電視廣告的支出（ADVERTISING AND PROMOTION）是不可抵減的。

爲聯絡客戶感情而必要的送禮，禮品費可以在此項下報銷。

爲酬謝代找客戶的介紹費（FINDER'S FEE）亦可在此項下抵減。

5.5.9 電話費

專用於營業用途的電話費用當然可以報銷，但如果辦公室設在家中，使用家中住宅電話，基本費的部份只可以在家庭辦公室項下比例報銷（見第 5.5.6 節），而長途電話費部份則按電話公司的明細帳單，指認營業上需要打的長途電話核實報銷。

5.5.10 差旅費

爲營業需要而作的商務旅行舉凡機票、車資、門票支出，及旅社的住宿費等均可憑單據報銷。機票部份最好保留機票存根，登記証及旅行社之發票作爲憑証。

商務旅行途中的餐飲費只能報銷 50 %，見第 5.5.5 節。當報銷差旅費時應考慮企業的性質是否必要作商務旅行，譬如貿易公司報銷差旅費當然天經地義，如果在加拿大開家雜貨店，或擁有一棟房子出租，差旅費的報銷就須考慮其合理性。

5.5.11 其他常見之營業費用支出

譬如租用辦公室的租金、地稅、保險、稅電費。企業需用之文具用品及雜支。付給專業人士之律師費、會計師費等。

5.5.12 企業之資本利得

營業用資產的處置會產生資本利得或損失，以個人之方式經營企業，這種資本利得或損失不算在營利所得內，也就是說資本利得以其產生的當年（曆年）納入個人所得課稅，即使企業的會計年度年底在 12 月 31 日以後（1995 年預算案以前容許這樣的會計年度安排）。

而以公司形式經營的企業，公司財產處置所產生的資本利得 75 % 納入公司之所得，其他的 25 %不扣稅，若公司未有上市，此不扣稅的部份可累積到一個"資本股息帳戶"（CAPITAL DIVIDEND ACCOUNT）。同理，25 %的資本損失也會使此帳戶減少。

公司資本股息帳戶的現金可發給股東，股東取得的此種資本股息是免稅的（見第 3.1.3 節）。

5.5.13 科學研究及實驗發展

為鼓勵創新，促進加拿大的國際競爭力，稅務上設有優惠鼓勵企業之科學研究及實驗發展（SCIENTIFIC RESEARCH AND EXPERIMENTAL DEVELOPMENT，SR&ED）活動，此類支出透過由淨利中扣除或投資稅款抵減（INVESTMENT TAX CREDIT）兩種方式來減稅。

5.6 企業所得稅申報及其稅率

企業若以個人的方式獨資或合夥經營時，以淨利爲營利所得，申報個人所得稅。以 12 月 31 日爲會計年度之年底，應於次年的 4 月 30 日前申報。營利所得是個人綜合所得之一部份，所適用之稅率須視個人之其他所得扣除額計算而得之應課稅所得而定，所適用之綜合邊際稅率由 27 %至 50 %不等，詳見第 2.3 節。

企業若以公司形式經營，因公司乃一獨立法人而成爲一個報稅的實體。在稅法上亦爲一納稅義務人（ TAX PAYER ），每年須於公司的會計年度結束後申報其財務報表及公司所得稅（ CORPORATE INCOME TAX RETURN,T2 ）。當公司有盈餘且須繳納稅款時，一般加拿大未公開上市的公司（ CANADIAN PRIVATE CORPORATION ）應於三個月內申報，若無應繳稅款的情形，公司可於公司之稅務年度結束後之六個月內申報，未如期申報者將徵收利息及罰款。

1996 年公司所得稅之聯邦稅率是 29.12 %，製造加工業則是 22.12 %。而加拿大人控制的非上市公司（ CANADIAN CONTROLLED PRIVATE CORPORATION,CCPC ），其活動性的營利所得（ ACTIVE BUSINESS INCOME ）的頭$200,000 ，只適用 13.12 %的稅率。

加拿大人控制的非上市公司的定義在稅法上有重要的意義，因爲唯有此類的公司符合“小型企業減稅”（ SMALL BUSINESS DEDUCTION ）的資格。要作爲一加拿大人控制的非上市公司必須：

- 是一家加拿大的公司，在加拿大登記；
- 由加拿大人控制：指不直接或間接受一個或以上的非居民或上市公司所控制。

此處所謂控制是指擁有 50 %以上的有投票權的股份。因爲以上的定義，若公司 50 %屬於居民， 50 %屬於非居民，這樣的公司不受控於非居民，可以是 CCPC 。

所謂活動性的營利所得，是指非租金、利息、股息、專利（ ROYALTY ）類之所得。

上述公司所得稅聯邦稅率之計算如下：

聯邦公司所得稅率	38.00 %
聯邦稅抵扣（ FEDERAL TAX ABATEMENT ）	(10.00)
聯邦稅	28.00 %
4 %公司附加稅（ 28 × 4 %）	1.12 %
小型企業減稅 - 如符合資格時 16 %（ SMALL BUSINESS DEDUCTION ）	有限制
製造加工業減稅 - 符合資格之製造加工淨利 7 % (MANUFACTURING & PROCESSING (M&P) DEDUCTION)	有限制
第 I 部份稅，聯邦部份	29.12 %

除了聯邦稅尚有省稅，省稅的稅率各省不同，典型的是 16 %，而各省對 CCPC 之類的頭$200,000 的活動性營利所得亦有減稅 5 ～ 10 %不等。大致我們可以說小型企業之頭$200,000 營利所得適用 23 %的稅率，其餘則適用 45 %的稅率。

5.7 公司稅務規劃

表面上來看，公司若符合“小型企業減稅”之條件而付 23 %的稅，似乎比發薪予股東讓股東個人繳稅（最少 27 %），更爲合算。但要知道公司的盈餘繳了公司稅之後，將來把稅後盈餘以股息方式分派給股東個人時，股東還要以個人所得稅之形式再課稅一次。雖然稅法上針對這種雙重課稅的情形設計一些減免優惠，希望使公司稅及個人稅兩重課稅與股東個人賺同樣所得直接課稅，所課稅額相同，這叫做“整合”（ INTEGRATION ），但我們發現當公司稅率高於 20 %時（各省之稅率不一，但各省綜合稅率均超過 20 %），兩層課稅通常要比個人所得一層直接課稅要課更高的稅。

5.7.1 公司出現營業虧損

公司年底計算應課稅所得，若當年度有虧損不必繳稅，並可以將該虧損遞延到以後的七年內抵減公司的盈餘，降低稅負。若以前的三年內，公司曾因有盈餘而繳納時，也可在虧損當年之所得稅申報表填報特定表格，把以前年度繳的稅退回來。

【例】甲公司 1995 年才成立， 1995 年有盈餘$10,000 ，繳了$2,300 的公司所得稅， 1996 年公司發生虧損$30,000，則除了往前推一年到 1995 年，要求抵用$10,000 而退回$2,300 的稅以外，尙餘的$20,000 可以在以後的 7 年（ 1997 ～ 2003 年）抵減盈餘。

1996 年公司虧損	$30,000
抵減 1995 盈餘	(10,000)
餘額	$20,000 →以後 7 年內可用

以上所指的是公司的營利損失或投資損失等非資本損失（ NON-CAPITAL LOSSES ）。公司處置財產所發生的資本損失（ CAPITAL LOSS ），則只可抵資本利得。公司之非資本性損失在往後的 7 年內若無足夠盈餘來抵用，亦可轉爲資本損失無限期延用。

5.7.2 公司出現營業盈餘

當公司有盈餘時，最容易想到的消化盈餘節稅的方法是發薪金，發利息及分派股息等。

但要了解的是公司是處於法人的地位，作爲公司的股東，即使是唯一的股東，在法律上所處的地位和立場，與做獨資或合夥企業的東主不同。法律上賦予股東的唯一權力是選定董事會來執行公司事務。股東由公司抽取資金須循一定的合法程序，包括發薪、配股息、抽回股東墊款、支付股東墊款利息、發還資本額等，否則稅法上有處罰。譬如股東不循合法途徑由公司任意拿錢出來，稅務上股東須納入個人所得，卻不得享用股息稅款抵減。從公司的角度，也不得列支費用。

當公司有盈餘而金額不是太大，一般的家族企業可以看股東個人所得的情況，發薪資給股東及股東的親人，或加發給員工一些紅利，這種年底加發的紅利（ BONUS ）屬於薪資類，與平常發的薪金一樣要作薪資扣繳，但如果股東及其家族佔的股權在 40 %以上時，發給股東及其親人的薪資可以不扣就業保險金的保費（雇員的部份約 3 %，雇主的部份是 3 %的的 1.4 倍，所以約可節省薪資總額的 7.2 %的就業保險保費）。另外如發給子女而其年齡在 18 歲以下，發給父母而其年齡在 70 歲以上時，免扣加拿大養老金 CPP 的供款（即又可節省雇員 2.8 %，雇主 2.8 %，合起來 5.6 %的扣繳）。但是要注意發給親人之薪資應與其對公司的貢獻相符。如果濫用，可能給稅務局駁回，被追繳稅款及利息。

至於發薪給股東，尤其是家族的執行股東，即使發的薪很高，稅務局的政策是不會反對的，不會認爲是一項不合理的費用，因爲公司的盈餘完全歸功於其努力及貢獻；所以公司賺得多就多發一點，賺得少就少發，甚至不發也是完全合理的。在家族企業裏，股東可以每個月拿一筆固定的薪金，到公司年底結算時，再加發紅利。以股東個人立場，就年度內“實際”收到的薪金申報個人所得繳稅；而以公司的立場，則以年度內實際發出及應付的薪金及紅利列支費用，抵減盈餘。應付之薪金最遲可以在公司年度結束後的 180 天內才實際發放，若屆時仍未發放該已列支的費用，就會不准列支而須加回到盈餘上繳稅，並付利息。

要訣	股東可以利用上述公司可延後180天內發薪的規定，規劃如何分配在不同年度的實際收到的薪資。譬如一家公司以 9 月 30 日爲會計年度之年底，公司董事會決議 1996 年底加發 10 萬元的紅利，須在 1997 年 3 月底以前發出來，主要的股東可以根據對 1997 年盈餘的預期及其個人其他所得的情形，將這 10 萬元分配到 1996 年後三個月或 1997 年前三個月來實際發放薪資，分別列入 1996 年及 1997 年之個人所得內。

要訣	小型企業獲利甚豐的年度，盈餘若超過 20 萬元，一般來說，較爲有利的節稅之道是以發薪或付利息的方式把公司的盈餘降到 20 萬元，充分利用小型企業減稅的好處。因爲頭 20 萬元只付 23 %的稅，超過的部份則須付 45 %的稅，分散到個人去一般比較有利。

關於付利息給股東的處理 ，須了解稅法上的規定。股東墊錢給公司時，股東墊款的本身是公司的負債，若公司有多餘的資金還給股東，是公司償還負債。減少負債並不是費用開支，以公司的立場，不可用來抵減盈餘或減稅。而以股東的個人立場，只是收回借給公司的錢，也不是一種所得，不須付稅。而股東墊款，也可以安排公司付利息給股東。以公司的立場，利息是一種費用，可以降低盈餘；而對股東個人而言，是一種投資所得，須納入個人所得稅申報。在稅務的效果上，公司發薪和發利息沒有甚麼差別；以股東的立場，拿薪金要做薪資扣繳，付 CPP 供款，似乎多一重負擔，但卻可以買 RRSP ，利息則不能。

還有一點要注意的，公司就股東的墊款付息，若照正式的貸款文件，未設定法律上支付利息的義務時，稅法上可能不認可該利息費用的抵扣（見第 5.5.7 節）。但若具備了法律文件設定須支付利息的義務，在公司虧損不付利息時，根據應計利息的法則，股東即使未實際收到利息仍需將應收之利息納入個人所得，以致形成兩難的局面。

發放薪資或股息，是公司有盈餘時的兩種主要處理辦法。要經過仔細的分析，才可以找出發放薪資及股息的最佳組合。所考慮的因素，包括公司現金流轉的情形、股東個人所得及公司所得的水平等。須作全盤的考慮，對以後的年度作適當的預測及規劃。譬如一家公司預期有一段時間的業務低潮，也許發薪金就可能阻礙了以後年度營業虧損向前推申請退稅的機會。

【例】甲公司 1996 年原先淨賺 100 萬元，付 80 萬的薪金後，以 20 萬的盈餘繳稅，約$46,000 ，假設到了 1997 年該公司卻產生了 120 萬元的虧損，只能將虧損中的 20 萬元推到 1996 年申請退稅$46,000 。公司的虧損不能用來申請個人的退稅。但如果 1996 年甲公司不發薪而以所賺的 100 萬元於稅後分派股息，當 1997 年發生巨額虧損時，可以 100 萬元向前推到 1996 年申請退稅，約可退回 40 萬元以上的稅。

5.8 購買企業

要購買一個正在營運中的企業，若企業是以個人方式經營只能以購買資產的方式進行。若企業是以有限公司方式經營時，有兩種購買的方式：購買資產或購買股權。通常的情況下，買方會較傾向用購買資產的方式，而賣方尤其股東是個人的話，會傾向用股權的方式，最後採取那一方式，就要看買賣雙方的實際考慮和協商能力。

以買方的觀點，購買資產有下列幾個優點：

- 買方不用繼承賣方公司的稅務問題
- 買方可以對納入買價中的商譽（ GOODWILL ）提列折舊
- 新購企業將來產生的損益可與買方原有企業的損益相對沖銷
- 買方可以只選擇喜歡的資產，不一定要全部購入
- 折耗性資產（ DEPRECIABLE ASSETS ）的折舊成本可以不按照買方的帳面價值，而提高到該資產的公平市價
- 資產通常較股權容易評價，尤其是未公開上市的公司
- 買方只對買賣合約中列入的企業負債負責。

通常買賣資產的情況是，買賣雙方會協定一個總價，並且在買賣合約中淸楚地將此總價分配到各項資產上。分配應合理並且反映市價。稅務局根據稅法第 68 條可以審查其合理性。以買方的觀點，若預期企業將來會獲利，宜分配較大的金額於折舊率較高的資產，因爲折舊是一種費用，可以抵消營業收入。

購買資產時，須繳 GST 及 PST 。 GST 部份，若買賣雙方均已註

冊 GST，有 GST 號碼，而買方所購的資產 90 %以上用於企業用途時，雙方可聯合起來選擇填報（JOINTLY ELECT） GST44 表格。在交易時賣方不必收買方的 GST ，買方也不必先繳 GST 又申請退稅。但買方須於交易後下次申報 GST 時把表格遞交稅務局。

PST 部份，大多數省份對企業購入的資產中商譽及房地產裝修（RENOVATION）部份不課稅。其他機器、傢俱設備等則須評稅。買方除買價外，被課徵的 PST 亦可納入成本計算。另外，資產購入當年的折舊須遵照折半計算的規定（HALF-YEAR RULE）。

在購買股權的情況下，沒有 GST 或 PST 。當購買 50 %以上的公司股權時，即掌握公司的控制權（CONTROL）。在控制權移轉的前一天是公司的一個會計年度的結束，須結帳並申報公司所得稅。在某些情況下，控制權的移轉不需結帳，譬如將控制權移轉給有關聯的人士（RELATED PERSON）。

買方接管公司的控制權後，控制權移轉前的淨資本損失（NET CAPITAL LOSS），財產損失及"可容許企業投資損失"（ALLOWABLE BUSINESS INVESTMENT LOSSES）是不得轉用（CARRYOVER）的。非資本性損失（NON-CAPITAL LOSS）及農業損失只有在符合下列條件時方能轉用：

- 公司必須繼續經營沒有中斷，且有合理的盈利前景
- 損失的抵減以繼續經營原來企業或相類企業所獲盈餘為限。

公司的科學研究、實驗發展支出及投資稅款抵減（INVESTMENT TAX CREDIT）等能否轉用亦適用相同的原則。

5.9 出售企業

企業的經營方式若爲公司時，出售的方式可選擇出售企業的資產或出售公司的股份。賣方通常傾向出售股份，尤其是當公司的股份是“合資格的小型企業股份”（ QUALIFIED SMALL BUSINESS CORPORATION SHARES ）時，可以享受 50 萬元的資本利得免稅額（ CAPITAL GAINS DEDUCTION ），可以節省鉅額的稅款。因此，在這種情況下，買方若堅持以購買資產的方式購買企業時，賣方通常會要求較高的成交價以補償其在稅款上的損失。

出售資產時，根據買賣合約成交總額在各項資產上的分派，賣方計算資本利得（或損失）以及折耗性資產有無折舊退還（ RECAPTURE OF CCA ）的營利所得。因此在談判買賣合約時，從賣方的立場，當然希望總價分攤到折耗性資產上的金額儘可能少，使折舊退還減少，甚至實現終結損失（ TERMINAL LOSS ）。

出售股票時，賣方應計算資本利得（或損失），納入所得稅申報。當有些款項要到以後年度才收到時，可根據稅法提列保留（ RESERVE ），以減低出售當年的稅負。

5.10 公司資本稅

資本稅（ CAPITAL TAX ）乃是根據納稅義務人在稅務年度年底時的資產淨值（ NET WORTH ）所課徵的一種定期稅。這種稅與所得稅不同處是所得稅是有盈餘、有所得時才課稅，資本稅則是就資產課稅，不論有無所得均須課稅。

加拿大並沒有個人資本稅。在加拿大設立永久基地

（PERMANENT ESTABLISHMENTS ）的公司，被要求就其在加所擁有的應課稅資本（TAXABLE CAPITAL)超過 1000 萬元以上的部份，課徵每年 0.175 %的第 I. 3 部份資本稅（PART I. 3 CAPITAL TAX ）。該稅負可以因支付公司附加稅（CORPORATE SURTAX ）而抵減。

以上是聯邦的公司資本稅，大多數的省份又有各省自設的省資本稅。譬如卑詩省，當繳入資本額（PAID UP CAPITAL ）超過 150 萬元時，就其總投資的 0.3 %課徵省的資本稅。所付的省資本稅可以由應課稅所得中抵扣，所以在聯邦所得稅計算上算是一種成本。

長遠而言，資本稅將降低投資者的投資報酬，在國際經濟上，資金可自由移動，資本稅的開徵將造成資金的外流。

5.11 國際移轉訂格及非居民交易資訊呈報表格

國際稅務規劃的如意算盤應該是將跨國企業的所得轉移至低稅率的國家，而將費用成本的抵減儘可能轉移到高稅率的國家。如此一來，可以付較低的稅。爲防止上述的避稅計劃，大多數工業先進國家都引進國際移轉訂價（INTERNATIONAL TRANSFER PRICING)的法則。該法則主要適用於有關聯人士（RELATED PARTIES ）的交易。

加拿大稅法第 69 （2 ）條規定，加拿大居民對有關聯的非居民，所提供的商品或勞務，不得付予高於合理水平的價格。

第 69 （3 ）條規定非居民因加拿大居民提供商品或勞務而支付的金額，不得低於合理的價格。

稅務局對於合理移轉訂價的認定有一定的政策。合理移轉價格原則上是指與沒有關聯的公司交易時的公平市價，當無法依據市場價格來評定時，可以成本加合理利潤的方法或轉售價格法來評定。

作爲加拿大稅務居民的加拿大公司，在加拿大經營企業若與有關聯的非居民（NON-RESIDENTS WITH WHOM IT DOES NOT DEAL AT ARM'S LENGTH）進行某些交易時，依稅法應申報 T106 的資訊呈報表格，如〔表 5.5〕。T106 非居民資訊呈報表（INFORMATION RETURN WITH RESPECT TO CERTAIN TRANSACTIONS WITH NON-RESIDENTS）應於公司稅務年度終結後 6 個月內申報。

須申報的項目包括:

（一）第一部份: 申報公司的基本資料

（二）第二部份: 非居民的資訊（非居民可能是個人、公司或信託）

- 非居民的名稱、國家
- 與申報公司的關係: 子公司、母公司或其他
- 非居民的主要營業活動
- 非居民賺取所得的主要國家

若受控制的非居民（CONTROLLED NON-RESIDENT PERSON）在無稅務協定的國家（NON-TREATY COUNTRY）時，應附送相關的財務報表。

（三）第三部份: 申報公司與非居民間的交易

當下列交易的年交易金額少於$25,000 時，可免申報細節直接進入第四部份。

- 有形資產的買賣，譬如存貨、設備；
- 租金、專利權的收入或支出的款項；
- 因提供管理、財務、行政、行銷、研究發展建築等服務而收入或支出的款項；
- 佣金、利息、股息或其他的收入或支出款項。

（四）第四部份：貸款、墊付款項的餘額

- 貸進或墊入的金額：期初及期末餘額
- 貸出或墊付的金額：期初及期末餘額
- 對非居民的投資（成本額）：期初及期末餘額

（五）第五部份：非貨幣性或零報酬交易

- 申報的公司是否收到或提供給非居民任何非貨幣性報酬的服務、 有形資產的轉移、權利義務的交換、獎金紅利、折扣或其他類似的交易協定？
- 申報的公司是否提供給非居民任何服務，轉移有形資產、權利、義務而沒有報酬？

應申報的公司若不申報罰款最多以$12,000 爲上限。若稅務局主動要求公司申報時，應於 90 天內呈報，否則罰款每月$1,000 ，以 24 個月$24,000 爲上限。

第六章

6

新移民、回流者的稅務

6.1 新移民的第一份個人所得稅申報表

6.2 外國稅款抵減

6.3 由“稅務居民”變爲“非稅務居民”考慮之因素

6.4 自何時起算是“非稅務居民”？

6.5 離境當年的所得稅申報表

6.6 離境時的財產申報

6.7 成爲“非稅務居民”後應報繳的稅項

第六章

新移民、回流者的稅務

本章說明新移民在成爲加拿大稅務居民的第一年所需了解的稅務問題、外國稅款扣抵、以及回流時如何由稅務居民變成非稅務居民的身份，回流者離境當年應如何申報，以及離境稅的規定。

6.1 新移民的第一份個人所得稅申報表

前文已提到，一般新移民報到的那一天就成爲加拿大的稅務居民，應就報到當年的所得填報第一份的個人所得稅申報表。在這份申報表應填寫入境日期（ ENTRY DATE ），此日期十分重要，是一個分界點，此日之前，除非在加拿大經商，就業或有財產交易，才須要申報所得稅表，有任何加拿大的投資所得才須扣繳加拿大之非居民稅。但此日之後，即便須要申報全世界所得。

須強調的是全世界的所得， 所以不只是加拿大境內的所得要申報，在台灣、香港、中國大陸、美國、歐洲等世界各地的所得均須申報。所得包括薪資所得、財產所得（利息、股息及租金）、應課稅的資本利得、自雇所得及其他所得。其中財產交易時所產生的資本利得或損失一項，稅法上有一重要觀念：視同購買（ DEEMED ACQUISITION ）。成爲稅務居民的當日，其在海外所擁有的財產被視爲以當天之“公平市價”（ FAIR MARKET VALUE ）買進，作爲成本。

日後處置財產時，成交價就和此成本比，計算有無增值利益，即所謂資本利得。

【例】報到當天您在台北有一棟房子，在市場上相似房子在相同地段的售價大約市值 1000 萬元。過了三年後賣掉，售價 1200 萬元，於是賺了 200 萬元台幣，這 200 萬元折合加幣 10 萬元，以 75 %計算應課稅資本利得，即$75,000 元，以此爲所得計算應繳稅款，而非以房子售價的 NT$1,200,000（折合加幣$600,000）爲所得。

問答

問：房子在報到當天的市價如何設定？

答：原則上，最好找專業的估價公司做一份估價報告，這樣比較有公信力。但如在移民面談時該房地產已做過估價，從面談到報到期間根據市場變動，略作調整即可，不需重新估價。如果已經移民進來好幾年，當初沒有做房地產估價，現在沒有必要再做，可以參考相關的資料，在合理範圍內自行估價。

再以上述的例子來說，房子後來出售的售價，不一定比報到時高，如果不但沒有漲價，反而跌價又怎樣呢？譬如報到時台幣 1000 萬的房子，幾年後只賣了 700 萬元，虧損台幣 300 萬元，折合加幣 15 萬元，稅務局是否承認此項資本損失，就要看這棟房子是自用（PERSONAL USE），還是營業或出租的房子。如果每年申報租金所得，或作爲活動性營業使用而申報該企業的營利所得時，這項損失可以被承認，用以抵減以後年度財產交易之利益。但若爲自用，稅務局就不承認該項損失，雖然有增值利益時仍須繳稅。

1996 年以前，在成爲加拿大稅務居民時所擁有的房子之公平市價即爲房子的成本，可以自行記錄，毋須向稅務局申報。只有在出售房子的當年（即使房子是自用而且虧損）才須在所得稅申報書上列明財產處理的事實，並申報資本利得或損失。然而，從 1996 年度起實施海外財產申報，即須申報該財產的成本。但報到的第一年不須申報海外財產。

<table>
<tr><td>
問答</td><td>問：海外的房地產在移民後沒有出租，一直自用，既然出售時有虧損稅務局也不會承認，爲什麼要申報？</td></tr>
<tr><td colspan="2">答：稅法規定稅務居民財產的交易，不論增值貶值，均須在交易的當年列入個人所得稅申報。同時出售海外房地產可能有巨額的資金匯入加拿大，將來若被稅務局查稅，銀行帳戶有大筆錢存入，當年之所得稅表卻無清楚交待這是海外出售房地產的款項（是財產非所得，因無增值利益），就可能有麻煩。</td></tr>
</table>

除了所得申報外，移民第一份所得稅申報表可以扣除適用的所得扣除額（ DEDUCTIONS ）；而在不可退稅之稅款抵減額（ NON-REFUNDABLE TAX CREDITS ）方面有所限制，分兩個階段考慮:

（一）成爲稅務居民前：除非申報在此期間 90 %以上的全世界所得，否則沒有稅款抵減。

（二）成爲稅務居民後至當年 12 月 31 日止：可以申報下列的稅款抵減至適用於此段期間的金額，包括:

- 加拿大養老金 CPP 供款
- 就業保險保費

- 養老金免稅額（PENSION INCOME AMOUNT）
- 學費（TUITION FEE）
- 教育費（EDUCATION AMOUNT）
- 醫療費用（MEDICAL EXPENSE）
- 慈善捐款（CHARITABLE DONATIONS）

下列之不可退稅稅款抵減項目，則以報到當年成爲居民後之天數比例折算，包括：

- 基本個人免稅額（BASIC PERSONAL AMOUNT）
- 高齡免稅額（AGE AMOUNT）
- 配偶免稅額（SPOUSAL AMOUNT）
- 相當配偶免稅額（EQUIVALENT-TO-SPOUSE AMOUNT）
- 18 歲或以上殘障受扶養親屬免稅額（AMOUNTS FOR INFIRM DEPENDENTS AGE 18 OR OLDER）
- 傷殘免稅額（DISABILITY AMOUNT）
- 由配偶以外之受扶養親屬移轉的傷殘免稅額
- 由子女移轉之學費及教育費
- 移轉自配偶之免稅額（AMOUNTS TRANSFERRED FROM SPOUSE）

【例】張先生 1997 年 5 月 6 日由香港抵加拿大移民報到，則其個人基本免稅額是$4,245.04，計算如下：

$$\$6,456 \times \frac{\text{在加拿大 240 天}}{\text{1997 年共 365 天}} = \underline{\$4,245.04}$$

【例】李先生、李太太在 1996 年由台灣移民來加，其報到日期是 1996 年 8 月 21 日，當年他們在加拿大的天數是 133 天，李太太於當年 9 月

1 日至 12 月 31 日賺取之所得是$250，李先生之個人所得稅申報，可以抵扣$1,900.53 的配偶免稅額。計算如下：

$5,918 × 在加拿大 133 天 / 1996 年共 366 天 = $2,150.53

減去下列兩個金額中較大者：

i) $538 × 133 / 365 = $190.04

ii) 李太之淨所得 = $250 （250）

∴配偶免稅額是 $1,900.53

要訣	新移民之稅務規劃有一些應注意的要訣： ● 各項所得（譬如退休金）應儘可能在成爲加拿大稅務居民前取得，就不必申報。 ● 移民報到時，海外財產（無論自用或投資）應保留一份完整清單，各類財產之公平市價文件，譬如銀行存款餘額証明，房地產估價報告，報到日上市股票之行情表等，都應保存，如果有貸款給別人，法定之借貸文件要保留好。 ● 如果報到當年會有很多所得，儘可能晚一點報到，由於累進稅率的緣故，可以適用較低的稅率。

在此特別要提醒注意的一點是：有些新移民在成爲加拿居民前作爲非居民的期間，因爲有加拿大境內的所得，而曾填報加拿大所得稅表。由稅務局給予一個稅籍號碼（ACCOUNT NUMBER），通常是 9

個號碼組成，以“ 0 ”字起頭。這些非居民一旦成爲居民之後，須申報應報的“非居民稅”，繳清稅款，並給稅務局一封信，說明已繳清非居民稅，申請註銷該稅籍號碼，以免稅務局一再催促申報。

6.2 外國稅款抵減

加拿大的稅法要求稅務居民就全世界所得申報所得稅，新移民可能覺得不公平，因爲在台灣或香港的所得，已在當地申報並已繳稅。加拿大要求再申報，豈不是一項所得，扣兩次稅嗎？爲避免雙重課稅，加國稅法設計一項“外國稅款抵減額”（ FOREIGN TAX CREDIT ），已被外國政府按其海外所得收入扣掉的所得稅，可以用來申報抵減。

【例】陳先生一年當中全世界所得是加幣 10 萬元，大約應適用 40 ％的平均綜合稅率，應繳稅款原先應該大約$40,000 。其所得絕大部份是台灣的所得，已在台繳了台幣 60 萬元的所得稅，折合加幣$30,000 ，扣抵後，大約應補繳差額$10,000 的稅。計算如下：

全世界所得	$100,000
	× 40 ％
應繳稅款	= 40,000
減：外國稅款抵減	(30,000)
補稅	$10,000

上述例子只是把基本原理簡化後之概念說明而已。實際上，外國稅款抵減的計算相當複雜，除聯邦之外國稅款抵減外，又有省的外國

稅款遞減，報稅者往往需借助電腦報稅軟件作爲有效的計算工具。爲說明其邏輯，下面介紹各有關計算公式。

在計算外國稅款抵減時須將來自外國的所得，分爲外國非營利所得（NON-BUSINESS FOREIGN INCOME）及外國營利所得（FOREIGN BUSINESS INCOME），且每一國家須分別計算。

（i）非營利所得：包括海外之薪資，以及諸如利息等營利所得以外的所得。其外國稅款抵減取下列兩者金額較低者；

- 所付之外國非營利所得之所得稅款
- 應付稅款（不含外國稅款抵減前）× $\frac{\text{外國非營利所得}}{\text{調整後淨利*}}$

*調整後的淨利計算頗爲複雜，此處從略。

（ii）營利所得部份：取下列兩者金額較低者；

- 所付之外國營利所得之所得稅款
- 應付稅款（不含外國稅款抵減前）× $\frac{\text{外國營利所得}}{\text{調整後淨利}}$

6.3 由"稅務居民"變爲"非稅務居民"考慮之因素

在加拿大取得了公民身份後，若能切斷一切與加拿大的聯繫，可以一方面持有加拿大的公民權自由進出加拿大，同時，另一方面，卻不須申報海外所得，僅就加拿大境內的所得繳"非居民稅"即可，在稅務上成爲"非稅務居民"。

但是，並不是每個人都有條件成爲"非稅務居民"的。譬如沒有拿到公民權以前，一旦切斷一切與加拿大的聯繫後，在稅務上雖成了非居民，但也可能就此喪失了永久居留權，將來是否還有加拿大的入境權利是一個疑問。

即使拿到了公民權後，若有配偶或未成子女留在加拿大，也無法成爲“非稅務居民”。

問答

問：我先生是“太空人”，每年有很多海外所得，在當地已繳了很多的所得稅，在加拿大可否不申報海外所得？

答：不可以，加拿大稅法規定全世界所得要申報，在海外繳的所得稅，可申報“外國稅款抵減”來抵減一部份的稅。

問答

問：那如果我先生向移民局繳回加拿大的移民紙，聲明放棄加拿大的永久居留權呢？

答：繳回移民紙，聲明放棄永久居留權只會令您先生在移民法上喪失了“永久居民”的身份，並不能改變他在稅法上“稅務居民”的身份，只要作爲配偶的您和未成年子女留在加拿大一天，您先生要申報全世界所得並繳納加拿大的所得稅之義務就沒有免除。除非您們進行形式上的離婚，但假如僅僅是爲了逃避稅責而斷絕夫妻關係，顯然不是明智的選擇。

要成爲稅務上的非居民，並不是一件容易的事，尤其是曾經是“稅務居民”的人。稅務局和稅務法庭在判斷一個人是否成爲非稅務居民時，綜合考慮許多的因素，擇要說明如下。

6.3.1 加拿大境內之居住關係

最主要的考慮因素，包括:

- 配偶及扶養親屬: 一個人離開加拿大，放棄了居留權，而配偶或任何一位賴其扶養的未成年子女或已成年的傷殘親人還留在加拿大，稅務局就不會承認其加拿大“非稅務居民“的身份。就單身的人而言，居留聯繫就比較模糊，一般的情況除非在加拿大有一扶養親屬(譬如父母)且住在其所維持的居所內，很少被指有此類聯繫。
- 居所（DWELLING PLACE）: 一個人離開加拿大卻在加保留一個居所，隨時供他回來時居住，就不算切斷居住的聯繫。所以原來擁有的住宅房子最好賣掉。如果過戶給成年子女，不可保留一個房間供回來時居住。如果租出去給外人，要訂長期租約，租約內容也須講究，不可有給予房客短期（譬如三個月內）通知以終止租約的條款。
- 個人財物及社會聯繫（PERSONAL PROPERTY AND SOCIAL TIES）: 一個人如果要成爲非居民應該沒有什麼道理留下任何私人財物（譬如傢俱、衣物、車子、銀行帳戶、加拿大的信用卡、加拿大境內的渡假屋等）在加拿大。也不應該保留並維繫著與加拿大的社會聯繫(譬如各種的會員資格、駕駛執照、社區圖書館借書証、省醫療保險或領取兒童福利金）。當私人財物沒有處理掉，社會聯繫仍然維繫著，稅務局將調查持有的原因，若無正當必要的原因，稅務局將衡量此類聯繫的輕重，以判定是否仍是稅務居民。所以要確保“非稅務居民“的身份，這所有的聯繫一定要切得一刀兩斷。

6.3.2 逗留海外之期間及目的

一個人離開加拿大並切斷了所有的居留關係之後，如果離境做非居民的期間太短，不滿兩年，可能仍會被當做稅務居民，離境期間的海外所得仍須申報。

即使離境兩年以上，若逗留海外的目的是完成某長期合約，有預定的歸期時，則其“非稅務居民”身份不被承認。譬如某人訂了三年的工作合約到中國大陸去工作，期間雖超過三年，離境期間仍被認爲是稅務居民，海外所得須申報繳稅。

6.3.3 境外之居住關係

稅務法庭判定一個人最少是一個國家的居民，而一個人卻可能有兩個或以上的居處。所以，原先是加拿大的居民在離開加拿大後，未有在其他任何地方建立永久居留時，就被假定爲加拿大居民。譬如您移民加拿大之初原是香港居民，在離開加拿大後，不回原居地設籍居住，卻跑到美國定居，但您並沒有合法的美國居留權，也不在美國申報所得稅，這樣就會被認爲仍是加拿大的稅務居民。

但是否在加拿大以外其他地方居住，建立了全面的居住關係，就表示不再是加拿大的居民呢？這個問題的答案是：「未必！」。若您不是任何其他國家的居民，則必是加拿大的居民。但此邏輯之反証則不成立，您雖然是其他國家的居民，卻仍可能是加拿大居民，因爲一個人可以是兩個以上國家的居民。

6.3.4 入境加拿大的經常性及期間之長短

一個人離開加拿大變成非居民之後，一般來說，偶爾回加做私人訪問或做生意，並不會影響其非稅務居民身份。但如果回加拿大的次數太過頻繁，尤其是固定的期間回加拿大時，稅務局就可能參考上述其他因素，來決定您是否加拿大的稅務居民。

在加拿大逗留期間，若一年中超過 183 天，即被視爲加拿大的稅務居民。

綜合考慮以上的因素，才能決定一個人能否成爲非稅務居民。因素相當複雜，很多情況不是非常明確的。若您自以爲已切斷了一切的聯繫成爲非稅務居民，將來有一天稅務局卻認爲您是稅務居民，追究您多年來積欠的所得稅款，並加上利息及罰款，就會有很嚴重的後果。所以爲求保險起見，在計劃離開加拿大之際，最好向稅務局領取 NR73 表格〔見附表 6.1〕。填寫後，儘早送交稅務局，稅務局會根據所填資料決定您是否成爲非稅務居民，給您一封信確認這個身份。

NR73 共有四頁，其上每一個問題都有背後隱含的意義。假如完全了解本書上文的說明，應可掌握回答的要領。其中第 6 個問題在確定您是否“視同加拿大居民”（A DEEMED RESIDENT OF CANADA），如果是這個身份，當然不可能是非稅務居民了。被“視同加拿大居民”身份的包括：加拿大的國軍、聯邦或省政府駐外人員、加拿大國際發展機構（CANADIAN INTERNATIONAL DEVELOPMENT AGENCY, CIDA）之駐外人員，以及以上駐外人員的配偶子女等。

6.4 自何時起算是“非稅務居民”？

當離開加拿大移居另一個國家，可以成爲“非稅務居民”的日期，以下列三者中最遲的一個爲準：

- 納稅義務人本人自加拿大離境的日期
- 配偶及扶養親屬的離境日期

- 移民到另一國家，變成該國居民的日期

如果重返移民加拿大前之原居地再建居所時，通常自加拿大離境的當日即可視作成為非稅務居民之日期，即使其配偶仍暫留加拿大處置其住宅亦然。

一旦離境成為非居民應儘速通知稅務局離境日期，因為此居留狀況的變動影響申領 GST 補助及兒童福利金的資格。

6.5 離境當年的所得稅申報表

離開加拿大成為非稅務居民的當年如同入境加拿大成為稅務居民的第一年一樣，須申報個人所得稅，而且當年納稅人對加拿大而言是“部份時間的居民”（PART-TIME RESIDENT），所不同者新移民成為稅務居民，是在報到日之後直至年底的後段時間，移出加拿大離境者作為稅務居民的期間則是在 1 月 1 日至離境日的前段時間。

離境當年的所得稅申報表所須申報者即為離境日之前全世界所得，使用一般的個人所得稅申報表，同樣以次年 4 月 30 日為申報截止日期。在個人資料部份須填寫離境日期。作為部份居民，只可有部份的稅款抵減，詳見第 6.1 節。

離境當年不可以再領取 GST 補助，因為當年之 12 月 31 日在稅務上已非加拿大居民。

在這份稅表中尚須申報離境稅（DEPARTURE TAX），此處有一“視同出售”（DEEMED DISPOSITION）的規定，與新移民報到時之視同購買（詳見第 6.1 節）相呼應。

所謂“視同出售”是指當納稅人停止其稅務居民身份之當日，所持有的某些資產被視為以當時的公平市價出售，再隨即以同樣的價格購回作日後的成本，適用此規定的資產是指除“加拿大應課稅資產”（TAXABLE CANADA PROPERTY）以外的所有資產。凡屬加拿大應課稅資產的項目，離境時不須課稅，在日後實際出售或處置時再行課稅。

關於離境稅，稅務局在 1996 年 10 月 2 日公佈新的規定，針對輿論對稅務局縱容資產移轉海外時以信託方式遞延鉅額稅款的廣泛批評作出回應。新規定將適用於 1996 年 10 月 1 日以後離境成爲非居民者。

在舊的法例下，“加拿大應課稅資產”範圍較廣，新的規定將其範圍大爲緊縮，主要只剩下：

- 加拿大境內的房地產
- 在加拿大用以經營企業的資產

原屬於“加拿大應課稅資產”範圍內的非居民之公司資本股權，合夥事業的持分利益，非居民信託利益等均被排除於外。

凡不屬於「加拿大應課稅資產」者，應於離境當年的所得稅表上申報財產的出售，並就其資本利得繳稅。

“加拿大應課稅資產”所以成爲例外的原因，是納稅人即使成爲非稅務居民後，加拿大稅務局對這些資產仍然可以扣稅。

在離境稅新規定下，大部份原屬“加拿大應課稅資產”均被排除，而須按視同出售的規定，在離境當年就這些資產的應計資本利得報稅，然而由於其又被視爲以當時的公平市價再買進，所以在成爲非居民後實際出售或處理時仍須再申報一 次。離境日資產的公平市價一方面構成新規定的視同成交價，另一方面又同時是日後實際交易時的調整成本基數（ADJUSTED COST BASE）。

屬於“加拿大應課稅資產”項下的資產，除非選擇填報，否則其利得可遞延至實際處置時才計算。在現行的稅法條款下，可選擇填報

T2061 表格申報離境日之應計資本利得，利用資本利得免稅額，譬如合格的農場資產（ QUALIFIED FARM PROPERTY ）。

在現行稅法條文下，移出者在離境日前的十年當中，若成為稅務居民的期間不滿 60 個月，對其成為加拿大居民前即持有的資產不必申報離境稅。移民加拿大後受贈或繼承的財產亦然。此項條款將不受新規定的影響。

6.6 離境時的財產申報

1996 年 10 月 2 日公佈的另一項新規定是要求移出者申報其離境日的財產。只要移出者在離境日所擁有財產的公平市價總值在$25,000 以上者，即須申報。例外是價值在$10,000 以下的自用財產（ PERSONAL USE PROPERTY ）譬如衣物、家具、汽車等。

此規定追溯 1995 年以後移出加拿大的人士，將被要求於申報離境當年所得稅表時，同時附上申報財產的文件。

6.7 成為“非稅務居民”後應報繳的稅項

成為加拿大“非稅務居民”後，有下列各項的所得須申報，並依稅法第 I 部份（ PART I ）繳稅。

- 在加拿大就業或受雇於加拿大企業的薪資所得
- 因離境前在加拿大受雇，遞延到離境後收到的薪資
- 因離境前在加拿大經營企業，遞延到離境後才收到的營利所得
- 加拿大的營利所得
- 加拿大來源的獎學金、助學金及研究補助

- 加拿大財產交易的資本利得

至於下列的各項所得，加拿大的金融機構或其他組織對非稅務居民在領取下列所得，依稅法第XⅦ部份（PART XⅦ）扣繳25％的預扣稅（WITHHOLDING TAX）。成爲非居民時，若有下列所得須聯絡支付者，告知其已成爲非稅務居民，他們應扣繳適用的非居民稅，此類所得常見者包括：

- 管理費（MANAGEMENT FEES）
- 利息
- 租金及專利權（RENTS AND ROYALTIES）
- RRSP 註冊退休儲蓄計劃的給付
- RESP 註冊教育儲蓄計劃的給付
- 股息及視同股息（DIVIDENDS AND DEEMED DIVIDENDS）
- 一次退休金（RETIRING ALLOWANCE）

上述所得應繳的稅已經扣繳，算已完稅，一般已不須再申報加拿大的所得稅表。

然而若有租金或專利權的所得，可以塡報第216條款的單獨所得稅表申請退回一部份或全部的被扣繳非居民稅，詳見第4.4.1節。同樣原理，當有贍養費、養老金、一次退休金、RRSP、RESP給付時，也可以塡報第217條款（SECTION 217）的單獨稅表，付與居民相似的稅率，申請退回一部份的被扣繳非居民稅。

7
海外財產申報

7.1 海外財產申報規定的產生背景
7.2 誰須申報？
7.3 資訊呈報與所得稅表的分別、財產與所得的分別
7.4 擁有十萬元以上的海外財產
7.5 海外附屬企業
7.6 移轉或借貸予海外信託
7.7 由海外信託收受分配及借款
7.8 申報截止日期
7.9 未如期申報的懲罰
7.10 對海外財產申報的誤解

第七章

海外財產申報

海外財產申報是稅務界近年熱門的話題之一。在海外尚有資產的移民人士對有關規定尤其關注。對於此海外財產申報規定（FOREIGN REPORTING REQUIREMENTS）產生的背景先作了解，也許更能深入認識其涵意及作用。

7.1 海外財產申報規定的產生背景

社會大眾對一般納稅人循合法途徑節稅是普遍接受的。當一些富有的納稅人高價聘請專業會計師、律師利用法律的灰色地帶來避稅，如果只是默默進行，也許大眾止於耳聞而已；但當某些不法的事情被揭露，被傳播媒體廣泛報導之後，社會輿論就會予以嚴厲指責，稅務局也會因督導不周而廣受抨擊。比方說，以信託方式投資於避稅天堂的國家如英屬處女群島、百慕達群島等，在加拿大一些富有的納稅人之間，幾乎成爲時尚。但構成社會大多數的加拿大人以一般受薪階級爲主，其所得最是無所遁形，可以利用的少數節稅途徑只有 RRSP 等而已。看到別人生活富裕，卻因將資金移轉到海外，所得不易追查而每年只繳很少的稅，以往不知道也就算了，現經傳播媒介的報導後，難免會憤憤不平。於是交相指責、愈炒愈熱。而立法及稅務機構首當其衝，受到極大壓力。在如此背景下，政府官員不能不有所回應。於是首先在 1995 年 2 月 27 日聯邦預算案公佈時，財長首度提出要實施海外財產申報的規定。一年後，在 1996 年 3 月 5 日聯邦預算案公佈後，對海外財產申報的要求更頒佈了具體的稅法草案及各種表格的草稿。

加拿大的稅法向來要求居民就全世界的所得繳稅，這項新規定只是要求申報海外資產以加強稅務局稽查海外所得的能力，並沒有增加任何稅款，更不會對財產本身課徵資本稅。在此立論基礎上，實在是很難加以否定的。

關於海外所得之逃漏在 1994 年的 9 月間，輿論曾就所謂「太空人」家庭的瞞稅事件大肆渲染及報導，當時的稅務局長安德遜曾出面表示當局決定加以查究。不久後成立「海外查稅小組」，以專門人力辦理海外所得逃漏事件，自那時起移民家庭被查稅的情況時有所聞。關於海外所得逃漏可能面臨之稅務審查及罰則，以及租稅協定在海外所得查緝上之效果，詳見第 1.2 節。

1996 年 3 月所公佈的稅法草案及四種表格草稿包括：

- T1141 表，第 233.2 條：移轉或借貸予海外信託
- T1142 表，第 233.5 條：由海外信託收受分配或借款
- T1134 表，第 233.4 條：海外附屬企業（FOREIGN AFFILIATE），加拿大居民持股權在 10 %以上之海外公司。
- T1135 表，第 233.3 條：海外財產、成本總價在 10 萬元以上者。

上述草案公佈後，引起社會廣泛的討論，也產生了一些誤解，原先草案預計在 1996 年 11 月完成國會審查，預定 1997 年 4 月 30 日以前隨同 1996 年的所得稅申報表一起申報。但因輿論有很大的迴響，尤其是海外附屬企業及海外財產申報方面，引起很大的爭議。到了 1996 年 12 月 5 日 財政部長馬丁向國會再提出草案的修訂議案，淡化了部份備受爭議的條文，減輕罰款，並將申報日期延後一年（但追溯期仍訂爲

1996 年 1 月 1 日），及規定新移民成爲加拿大稅務居民的第一年免申報，海外資料蒐集有困難，且有明確証明已盡力而爲者，可免予處罰。本書以下的解說即爲該草案截至此階段的各種規定。

7.2 誰須申報？

加拿大的“稅務居民”（詳見第 1.1 節），若有下列的四種情形，就須按海外財產申報規定填報相關表格：

1. 有海外財產，成本總價在 10 萬元以上
2. 在海外有持股 10 %以上的附屬企業
3. 移轉或貸款給海外信託
4. 由海外信託收受分配或借款

7.3 資訊呈報表與所得稅表的分別、財產與所得的分別

按海外財產申報規定而須填報的是“資訊呈報表格”（INFORMATION RETURNS）而非“稅表”（TAX RETURNS）。兩者雖同樣是根據稅法提供給稅務局，但對申報者有不同的意義和作用。資訊表格提供的是資訊給稅務局了解，本身並不像稅表要計算應繳稅額。資訊表格的申報並不導致稅負（TAX LIABILITY）的產生，沒有繳稅的問題。

所謂“財產”（PROPERTY）是指銀行存款、房地產、有價証券、債權及版權、專利等。原則上，加拿大所得稅制度對財產並不課稅，唯一例外是公司的資本稅（詳見第 5.10 節），在可見的未來也絕不會產生個人資本稅的問題。雖然有人懷疑加拿大政府，今天弄出一個新

法令要納稅人申報海外財產，或有可能日後會進一步就海外財產課徵資本稅，筆者卻認爲這是不大可能的。加拿大是一個民主國家，透過選舉來決定執政的政黨，那一個政府敢輕言加稅觸怒大多數的選民？如果海外財產課稅，爲公平起見，加拿大境內的財產沒有道理不課稅。可是誰沒有一點財產？相信加拿大的各政黨應不致於愚昧到提議開徵個人資本稅觸怒選民的地步。世界大多數國家的稅務，唯有房地產所在地的地方政府（譬如市政府）可以對房地產課徵地產稅，作爲地方的主要財源，但向來不納入中央政府的所得稅體系之內。並且尚沒有中央及省政府就個人財產徵收資本稅的。

財產本身不課稅，但因財產所產生的孳息，譬如銀行存款產生的利息，房地產產生的房租、股票所產生的股息、因債權而收的利息，因版權而收的版稅等就構成財產所得；出售或處置財產就可能有資本利得，也是一種所得。所得稅乃針對“所得”（INCOME）來課稅，沒有所得就沒有稅。財產好比是一棵樹，由財產所產生的所得，好比樹上結的果子。政府只對“果子”課稅，“樹”本身沒有稅的問題。

所以納稅人申報的“海外財產”，本身並不會是一個課稅的基準。今天所申報的海外財產的成本部份，日後處置財產將資金移入加拿大時，“成本”的部份不會被課稅，唯有增值的部份才有稅的問題。如果出售財產後，資金不帶進加拿大來，是財產形式的轉換，由某一種財產形式（譬如房地產），轉換成另一種形式（譬如股票），只在海外財產申報上呈現不同的財產組合而已，財產本身即使轉換了形式仍不須課稅。

實施海外財產申報之後，公司納稅人在申報公司所得稅時，應附帶提供海外財產申報 T1134 、 1135 。 1141 、 1142 等適用於該公司情況的表格。而對於個人納稅人而言，在個人所得稅表的第二頁下半先回答三個問題，當答案均是“是”時，應附上相關財產申報表格。至於海外附屬企業部份，因為比較繁複，所以預定較遲才實施。在 1996 年 12 月初公佈延後一年實施海外財產申報前，稅務局已印好了 1996 年個人所得稅申報表（T1），並將海外財產申報部份包括在內。

海外財產申報部份的三個問題是:

（一）在 1996 年的任何時間，您是否擁有海外財產？

266. 是 □ 1， 否 □ 2。

若回答“是”，在 1996 年所有上述財產的總成本額超過加幣 $100,000 時，填表 T1135。

（二）在 1996 年，您是否由海外財產賺取任何所得或獲致任何資本利得？

267. 是 □ 1， 否 □ 2。

若回答“是”，將賺取的所得或實現的利得金額，納入 1996 年所得稅的計算。

（三）在 1996 年的任何時間，您是否由您是受益人的非居民信託中收到資金或財產，或您向該信託借貸？

268. 是 □ 1， 否 □ 2。

若回答“是”，填表 T1142。

其中第二個問題，問納稅人是否由海外財產賺取任何所得或獲致任何資本利得。在此強調的是要求納稅人將此等所得納入稅表申報，並不是一項新的要求。若為稅務居民，納稅人長久以來即被要求申報“全世界之所得”。

在上述的問題中。並未有提醒納稅人應注意移轉或借貸財產給海外信託時應行申報之處。

有些人在 1997 年 1 月已收到稅務局寄出的 1996 年所得稅申報表。

對表上列有上述問題，或在稅務指南（ TAX GUIDE ）中，有申報海外財產說明，可予忽略，因爲稅務局已公佈延後一年實施。但 1996 年之所得稅申報應特別注意其海外所得之申報應與 1998 年初才要申報之 1996 年海外財產申報相符。

7.4 擁有十萬元以上的海外財產

7.4.1 誰須申報？

所有作爲稅務居民的納稅義務人，除了免稅的信託及公司外，若其在海外財產上的利益總成本額在$100,000 以上，均須申報 T1135 的海外財產資訊呈報表（ INFORMATION RETURN RELATING TO FOREIGN PEOPERTY ）如〔表 7.1 〕。作爲合夥事業，只要 90 %以下的損益來自非居民權益就須申報，非居民則不須申報。

T1135 表格是在稅表外單獨申報的。

7.4.2 "海外財產"及其申報項目

"海外財產"一辭定義相當廣泛， T1135 表格將其分爲七類:

7.4.2.1 加拿大境外資金（ **FUNDS OUTSIDE CANADA** ）

這是指稅務居民在加拿大境外交由他人保管的資金，譬如:

- 銀行或金融機構的帳戶: 不論定期或活期存款
- 交由他人代爲保管的資金: 譬如在海外証券商那裏開了一個帳戶，有一筆錢無息存在帳戶內準備隨時進場買賣股票。或把一筆錢放在親友處，準備在合適的時機作投資。此類資金因隨時可能動用，而且是委託別人代管，很可能沒有利息收入。稅務居民在其海外附屬企業、或在海外以個人形式經營之企業中投資的營運資金，亦屬於此類之財產，很可能沒有利息所得。

T1135 表格要求申報的項目包括:

A. 各代表納稅人持有資金的實體（ENTITY），可以是機構或個人，

- 名稱
- 地址

B. 財產的價值及孳息

- 由外國實體持有加拿大境外資金的總金額
- 年度內由該資金賺取的所得
- 年度內該資金所獲致之資本利得或損失。

7.4.2.2 非居民公司的股份（**SHARES OF NON-RESIDENT CORPORATION**）

非加拿大註冊、且公司的控制管理中心不在加拿大的公司稱為"非居民公司"。納稅人若持有此類公司的股票時，不論該股票是否在股票市場上公開上市，均須申報。申報的項目包括；

A. 加拿大所得稅規則（INCOME TAX REGULATIONS）所訂的加拿大境外股票交易市場上公開上市的非居民公司股票，所有此類資本股票（SHARE OF CAPITAL STOCK）的:

- 年底成本
- 年度內收到的股息
- 年度內所獲致之資本利得或損失。

B. 其他的非居民公司股份

- 發行股票公司的資料:公司名稱、總公司所在國家
- 年底成本

- 年度內收到的股息
- 年度內所獲致之資本利得或損失。

7.4.2.3 債權（INDEBTEDNESS）

納稅義務人所持有的海外債權，包括由非居民發出的任何票據（NOTES）、債券（BONDS）、債務（DEBENTURES）等。譬如：

- 美國的國庫券
- 台灣某大公司的公司債
- 某親友向您借用週轉的一筆資金，開具借據借用一段時間，也許有利息，也許利息很少，甚至因人情關係完全沒有。
- 海外附屬企業的股東墊款
- 墊付給納稅人海外獨資或合夥企業之資金

表 T1135 上須申報的項目包括：

- 年底本金
- 年度內收到的利息
- 年度內所獲致之資本利得或損失。

7.4.2.4 非居民信託之利益（INTERESTS IN NON-RESIDENT TRUSTS）

非居民信託利益包括海外的互惠基金信託（FOREIGN MUTUAL FUND TRUST），但不包括：

- 個人退休安排（INDIVIDUAL RETIREMENT ARRANGEMENT，IRA，是美國的註冊退休儲蓄計劃）
- 雇主贊助的養老金計劃（EMPLOYMENT SPONSORED

PENSION PLAN）通常在外國是免稅的，只有所在國課徵所得稅。

- 該利益的取得非基於納稅人本人或相關人士的考慮。譬如慈善捐贈的信託。

所須申報的項目包括：

- 信託資料：名稱，轄管非居民信託的國家
- 信託人（TRUSTEE）資料：名稱及地址

7.4.2.5 加拿大境外的房地產

此處所指的加拿大境外的房地產有兩個例外：

1. 納稅人持有該房地產是專用於活動性企業（ACTIVE BUSINESS）的財產：若申報的納稅人是公司時，指公司名下並用於活動性企業的房地產，譬如貿易公司的辦公室或製造業公司的廠房。若申報的納稅人是個人或合夥，則指屬於個人或合夥企業名下的房地產。若該房地產專用於其活動性企業上，譬如一名醫生私人名下的房地產專供其作爲診所自雇營業用，就不須申報。但是屬於個人名下的房地產如果供在海外的公司使用，不論收不收租金均不屬於此類而應予申報。
2. 納稅人自用（PERSONAL USE）的房地產：譬如在海外從不出租的渡假別墅，在海外原居地留有一棟房屋供父母或成年子女居住而不收租金者，或平常空置著供回去時居住者。此類房地產純屬自用，從來不收租金，而且根本就不打算出租。然而若房子是打算出租而只是租不出去的話，就應該申報。

除了這兩種例外，其他海外房地產都要申報，所報資料包括：

- 資產的說明：譬如是公寓或土地、地址等。
- 資產所在國家

- 年底的成本：若房地產是在移民前已持有，此成本額是指成爲稅務居民當年的“公平市價”（詳見第 6.1 節）；若是移民後才購置的則指購買時的買價，當然應換算爲加幣。房地產之成本一旦確定後，在持有的期間內，除非有改良或增建，否則成本額是不變的。
- 年度內收到的所得：即當年的租金
- 年度內由處置資產所獲致之資本利得或損失。

7.4.2.6 加拿大境外其他有形資產

海外有形資產的申報亦如房地產一樣有兩個例外（詳見第 7.4.2.5 節）：專用於經營活動性企業的資產及個人資產。此外其他有形資產均須申報，包括：

- 有形資產的性質
- 所在國家
- 年底的成本額
- 年度內收到的所得
- 年度內由處置資產所獲致之資本利得或損失

7.4.2.7 加拿大境外的無形資產

須申報的項目及例外的情況，可參考其他有形資產的做法（詳見第 7.4.2.6 節）。

7.4.3 合夥企業作爲申報者

T1135 表格第三部份，適用於申報的納稅人爲合夥企業，申報的項目包括：

- 合夥企業的名稱

- 轄管合夥企業的國家
- 合夥企業經營的目的及活動
- 各合夥人的姓名、地址、社會保險卡號碼（ SIN ）或企業統一編號（ BUSINESS NUMBER ）、合夥企業損益分配比率。

此類財產的申報有三種例外：除上述已提到的專用於經營活動性企業的財產、自用財產外，另一種例外是納稅人所持有的註冊退休儲蓄計劃（ RRSP ）、註冊養老金計劃（ RPP ）及註冊退休所得基金（ RRIF ）的財產。這三樣財產不必申報。

值得強調的一點是：十萬加元以上是指總成本額而言，因此納稅人若持有兩項財產，各為$55,000 ，就都須要申報。

【例】王先生在 1994 年報到成為加拿大居民，他擁有下列三項在美國及香港的財產：

1. 在香港有一個住宅樓宇單位，在 1990 年購置，當初買價合加幣 30,000 元， 1994 年的公平市價 C$80,000 。
2. 在美國有一艘遊艇，價值 C$40,000 ，專屬私人用途。
3. 在香港有銀行存款折合加幣$10,000 元，美國銀行存款合 C$20,000 。

所以王先生的海外財產合計共$110,000 ，公式是（$80,000+$10,000+$20,000 ），遊艇因屬自用財產不計算在內。王先生的海外財產申報 T1135 表見〔表 7.1 〕。他同時須將租金收入及利息收入在個人所得稅申報表（ T1 ）內照常申報。

7.4.4 財產的成本額

財產的“成本額”（ COST AMOUNT ），就以下各項目而言，所指的是:

- 就非折舊性的資本財（譬如土地或股票）而言，成本額是指調整成本基數（ ADJUSTED COST BASE ）。
- 就折舊性的資本財（譬如建築）而言，所指的是未折舊的資金成本（ UNDEPRECIATED CAPITAL COST,UCC ），詳見第 5.5.3 節。
- 就貸款而言，指攤提成本（ AMORTIZED COST ）。
- 就收到某一款項（非指貸款）的權利而言，指納稅人有權收到的款項。

根據上述的定義，財產的“成本額”未必與納稅人爲其所付出的金額相同。譬如納稅人已提列折舊（ CAA ）的折舊性財產。又或接受贈與或繼承的財產以受贈或繼承時的公平市價爲“成本額”，即使納稅人對財產未付分文。

【例】鄭小姐繼承父親在美國公司的一批股票，她父親去世時，該股票的公平市價是$130,000 。根據稅法，所繼承遺產的調整成本是去世時的公平市價，而非折舊性資本財。成本額所指的是調整成本，所以該股票的成本額是$130,000 。

移民前已持有的資產，根據“視同購買”（ DEEMED ACQUISITION ）的規定，以納稅人成爲稅務居民那一天的公平市價爲“成本額”，與當初納稅人的真實購價無關，見第 6.1 節。

T1135 表上所要求的資料全是年底的成本額。但須注意的是，納稅人只要“在稅務年度的任何時間”（ AT ANY TIME IN THE TAXATION YEAR ）有超過$100,000 的資產，即須申報，即使年底時已低於$100,000 。

關於資產在十萬元以上就須申報，曾引起廣泛的爭議。許多來自亞洲的移民認爲十萬元加幣的標準定得太低，因爲十萬元在香港、台灣可能不足以買一個停車位。訂這麼低的標準等於意圖一網打盡，人人須要申報。但加拿大稅務局的觀點卻是，來自亞洲房地產昂貴地區的移民，在加拿大報稅人口中只是少數。對大多數加人來說，十萬元已是一筆相當大的資產，在加拿大中部的一些省份如緬省（**MANITOBA**）、沙省（**SASKATCHEWAN**）等，十萬元已可以買一大片農莊了；在海外很多國家，十萬元加幣亦可做不少的投資。所以原先有人建議提高爲 150 萬元，未獲接受，但亦未對十萬元的標準十分堅持。只建議先訂十萬元爲標準，實行一年後再作檢討，看看是否應該調整或修正。

海外財產申報延後一年實施，即 1998 年 4 月 30 日前申報 1997 年所得時，同時作 1996 年的海外財產申報。所以在 1996 年 1 月 1 日以後到 1996 年 12 月 31 日止的任何時間，持有海外財產超過十萬元，即須申報。假如在 1996 年有財產的交易，則在 1997 年 4 月 30 日以前申報 1996 年個人所得時，就應該申報該項財產的資本利得或損失。

問答	問：我在香港有兩棟房子，一棟準備自己有時回香港時居住，另一棟給我的父母居住，須不須要申報海外財產？

答：原則上，自用的房子是不須申報的，但是在海外若有超過一棟以上的房子自用，將來查稅時，可能須提供給稅務局明確的証據和資料，作更詳細的說明。

? 問答	問：我在1994年報到，在香港有一棟房地產出租，每年的租金已經申報，海外財產還要申報嗎？如何申報？

答：假如您到了1996年1月1日仍然持有該項房地產，就應該申報。申報的成本額與房子當初的買價無關，而是以1994年報到當天的市價來申報其成本額。譬如金額是加幣二十萬元，則不但1998年4月30日以前第一次申報海外財產時，在T1135表第5類房地產的年底成本項目下，申報$200,000，而且若您一直持有該房子且不收回自用或改爲活動性企業的營業用，則以後每年申報海外財產時，年底成本仍爲$200,000，不受房子市價改變的影響。將來有一天出售該棟房子時，在所得稅表應申報房地產的出售，屆時$200,000是調整成本（ADJUSTED COST BASE，ACB）與出售時的費用支出及成交價計算資本利得（或損失）。

? 問答	問：我在台灣有一間置的土地，沒有任何租金收入，也從不準備出租，要申報嗎？

答：您的土地是一塊空地，既不可用來自用，而且可能是等待增值，待價而沽的，應列入海外財產申報。

? 問答	問：我在台灣有一棟房子從1995年移民後就空著，因爲準備隨時把它賣出去，不敢出租，怕租客不愛惜房子，要申報嗎？

答：該房子既非自用，就須申報。

問答

問： 我有一塊農地在海外，要申報嗎？

答： 如果該農地您自己用來耕種經營農業，並申報營業所得（FARMING INCOME），該農地屬於活動性企業的財產，不須納入財產申報。若該農地租給別人耕種收取租金，則須申報海外財產。

問答

問： 我在海外自住的房子將來賣了，將錢匯進加拿大來，若有一天稅務局查稅，會不會有麻煩？

答： 您的自用房子依稅法不須申報海外財產。但須注意，除非您指訂該房子爲您的主要住宅（PRINCIPAL RESIDENCE），否則雖爲自用，在出售或處置的當年仍須在所得稅表上申報，列於財產處置表格（SCHEDULE 3,附表 3）的自用財產類下，有資本損失時，損失被當做“零”，不予承認；有資本利得時，照樣課稅。只要您依法申報，將來不會有任可麻煩。

問答

問： 我在台灣有一家公司，作爲主要的股東我的個人帳户內的錢常常於公司帳户互相流轉，是否要申報財產，沒有任何利息收入會引起稅務局的懷疑嗎？

答： 您在財產申報（T1135）時，應申報當年度年底在海外附屬公司帳户內屬於您個人之資金的金額（見第 7.4.2 節），若確實沒有向該公司收取利息，自然不須申報利息所得，稅務局不會爲難。

問答

問：我有一筆錢借給我的姊姊做生意週轉，從來沒有向她收過利息，去年她的生意好轉支付我一些利息，我應如何申報財產給所得？

答：在海外財產申報 T1135 表上，應列入債權類（見第 7.4.2.3 節）申報年底令姊尚欠您的本金金額及利息所得是多少。同時在個人所得稅表上附表 4（SCHEDULE 4）申報利息所得，即使沒有任何憑單。

問答

問：我在移民前面談時繳交給移民局的資產負債表與財產申報須相符嗎？如果有些財產當初未列入資產負債表，怎麼辦？

答：您移民申請時向移民局申報之淨資產，目的在提供移民局資料，審核您的淨資產是否達到移民之資格，所以不充分完整是完全沒有問題的。譬如您有 10 棟房地產，當初只申報其中 2 棟即已達移民資格，另外 8 棟未有申報也是合法的。但在海外財產申報時，若您的 10 棟房子均仍持有，且不屬於前述之三種例外，就須全部申報出來不可遺漏。另一方面，當初給移民局之淨資產表上的價值是申請或面談當時的市價，而海外財產申報時之成本額是移民報到時的市價。若相隔較長的時間，應依照當時市價上漲或下跌的趨勢調整反映時況。您在海外財產申報前，最好將當初給移民局的淨資產表拿出來參考。雖然移民局和稅務局沒有聯線，資料不會相通，但同爲政府機構，稅務局查稅的權柄又很大，必要時當然可以調卷核對申報資料之合理性。

? 問答	問： 我在海外房地產有很大金額的貸款，如何申報？

答： 海外財產申報財產之成本額，有無貸款負債不在申報之列。因為財產並非課稅的基礎。負債與否稅務局並不關心，計算房地產租金所得時，貸款利息可以扣減收入。

7.5 海外附屬企業

7.5.1 誰須申報？

關於海外附屬企業（ FOREIGN AFFILIATES ）及受控制的海外附屬企業的定義，詳見第 3.7 節的說明。 1996 年 3 月初提出海外財產申報草案及表格草稿時，要求只要持有一家非居民公司的 10 %以上的股份，就須申報該非居民公司 - 海外附屬企業的許多資料，填報表格 T1134 。而根據稅法之定義，這 10 %以上的股份中，納稅人只要持有 1 %，與其有關聯人士（有血緣、婚姻、收養關係）跟他合起來共佔 10 %以上，即符合海外附屬企業的資格，須依規定申報。

由下文的說明可以發覺， T1134 表格是相當詳盡而繁複的。所以草案公佈之後，群情譁然，尤其在加拿大東部的省份引起很大的回響。最主要反對的理由是，即使是持有海外公司 10 %的股份，只是一小股東，又身在國外，要取得公司財務報表及各種資訊，可能會有困難。所以在 1996 年 12 月 5 日提交國會的修正議案中特別加上了如有海外資料蒐集等的確實困難，而能明確証明申報者已盡最大努力（ DUE DILIGENCE ）時，可免予處罰，而實施的時間預期在 1998 年 4 月 30 日之後。並且容許持股權在 10%至 50%以下的海外附屬企業填報一份 T1134 的簡表。以下的說明以 1996 年 3 月所公佈的海外附屬企業資訊申報表格爲根據，見〔表 7.2 〕。

7.5.2 海外附屬企業申報項目

"海外附屬企業資訊呈報表"（ INFORMATION RETURN RELATING TO FOREIGN AFFILIATES ） T1134 ，分爲三個部份：

（一）第一部份 -- 基本資料，包括：

（ 1 ）納稅人的基本資料，申報年度

（ 2 ）以附頁說明與納稅人有關的各海外附屬企業的結構

（二）第二部份 -- 海外附屬企業資料，包括：

（ 1 ）(A) 海外附屬企業的基本資料，包括公司名稱、總公司地址、公司登記日期、公司或信託成爲納稅人附屬企業的日期、公司或信託中止作爲納稅人附屬企業的日期、海外附屬企業註冊及轄管國家、主要營運地點、公司簿籍及記錄所在地、國籍、海外附屬企業主要經營活動的簡要說明、自上次申報後上述活動有無改變等。

（ 1 ）(B) 海外附屬企業的資本股：各級資本股的說明、年底發行並流通在外股數、作爲申報納稅人的股東之姓名、申報納稅人的其他海外附屬企業或相關聯的公司、股東的居留國家、年初及年底的股數及調整成本、申報納稅人年初股權百分比及年底股權百分比。

（ 2 ）海外附屬企業的財務資訊：提供納稅人稅務年度內的海外附屬企業財務報表。若有獨立會計師簽証報告，或給附屬企業股東或合夥人的報告，亦應包括在內。若報表非以加幣爲單位，指出所用的貨幣單位。

（ A ）財務報表，應包括：

- 資產負債表（ BALANCE SHEET ）
- 損益表（ INCOME STATEMENT ）

- 財務報表之註解（ NOTES TO THE FINANCIAL STATEMENTS ）
- 簽証（查帳）報告（ AUDITORS' OPINION ）
- 資金來源運用表（ SOURCES AND USES OF FUNDS ）
- 與前一年度股東權益變動表（ THE VARIATION IN SHAREHOLDERS' EQUITY FROM THE PRECEDING YEAR ）

（ B ）損益彙總：提供申報納稅人稅務年度內海外附屬企業的下列資料：

- 收入：商品或勞務的銷貨、無形資產的銷貨、利息收入及其他。
- 支出：銷貨成本、薪資、折舊、利息費用、所得稅款、其他。
- 海外附屬企業的設籍國家、所得、所得稅款。

（ 3 ）盈餘公積（ SURPLUS ACCOUNTS ）：申報納稅人稅務年度內有無收到股息，有無公司改組、併購、合併、清盤、解散、有無購買或處置資產；如上述答案爲"是"時提供詳細說明。

（三）第三部份 -- 受控制海外附屬企業：除上述資料外加填：

（ 1 ）企業員工人數：各企業全年雇用的員工或相當於員工的人數

（ 2 ）所得之構成：海外附屬企業年度總營業收入中來自各個不同來源的金額，包括利息、股息、專利權收益、租金及租賃活動、商品銷售、勞務提供、風險的保險及再保險、應收帳款質押、投資財產的處置及其他。

（ 3 ）海外應收財產所得（ FOREIGN ACCRUAL PROPERTY INCOME , FAPI ）：海外附屬企業是否賺取 FAPI，如果答案爲“是”，申報納稅人對海外關係企業的參股百分比（ PARTICIPATING PERCENTAGE ），並提供附屬企業在年度內各項 FAPI 的金額。

（ 4 ）資本利得及損失：海外附屬企業在年度內是否曾處置資本財？如果答案爲“是”，提供所處置財產的說明，成交價、調整成本及資本利得（或損失）。

（ 5 ）來自活動性企業的營業所得，包括：

（ A ）海外附屬企業原應納入財產所得的所得，卻因某些因素納入活動性企業所得。

（ B ）海外附屬企業原應納入非活動性企業所得的所得，卻因某些因素納入活動性企業所得。

申報納稅人須分別指出各項有關因素，並另頁詳加說明。

由以上介紹的海外附屬企業申報項目，我們可以發現內容實在多而繁複。一般申報者可能無力自行申報。即使專業會計師面對如此繁複的工作亦可能擔心有否足夠的人力資源，以及應向客戶收取多高的合理報酬。

7.6 移轉或借貸予海外信託

7.6.1 誰須申報

納稅人須依照規定申報非居民的信託，若他在年度內或“以前年度”曾移轉或借貸給海外信託，則須填報“移轉予非居民海外信託資訊呈報表”（ INFORMATION RETURN IN RESPECT OF TRANSFER TO NON-RESIDENT TRUSTS ）， T1141 表格，見〔表 7.3 〕。

雖然納稅人被要求申報以前年度移轉或借貸予海外信託的事實，但僅限於 1990 年以後的移轉或借貸的細節。

申報範圍僅限於“特定的海外信託”（ SPECIFIED FOREIGN TRUSTS ），並且須符合下列兩個條件:

1. 必須是非居民
2. 下列任何一項成立:
   - 有“特定受益人”（ SPECIFIED BENEFICIARY ）及“關聯指標”（ NON-ARM'S LENGTH INDICATOR ）適用於該受移轉或借貸之海外信託。
   - 信託的條款內准許受益人的加入，而該受益人加入時是加拿大居民。
   - 信託條款允許將財產分配給其他信託，而該信託在受益分配後可合理地被預期爲“特定海外信託”。

不屬於特定的信託包括:

- 享受外國免稅狀態的個人退休安排（ INDIVIDUAL REITREMENT ARRANGEMENTS ， IRA ）及員工贊助外國養老金計劃（ EMPLOYEE SPONSORED FOREIGN PENSION PLAN ）
- 150 個以上持有最少同一類別（ CLASS ）一個單位的受益人，每單位公平市價最少$500 的互惠基金（ MUTUAL FUND ）

此處所謂“特定受益人”包括作爲稅務居民的個人、有限公司及信託。但即使信託無特定受益人，只要符合下列情形，則仍須申報。有限公司或信託中任何人，不一定是受益人，與加拿大有關聯，或是加拿大居民的受控制附屬企業。所謂“關聯指標”，一般來說是以低於公平市價的價格移轉財產，非純粹商業性質的方式借貸給信託（如貸款利息低於法定最低利率、在年度結束後 180 天內未支付利息，利息支付只是連續貸款及償還的一部份）。

雖然大多數互惠基金不包括在此特殊規定內，但大多仍適用海外財產申報（見第 7.4 節）及海外信託分配（見第 7.7 節）之規定。

7.6.2 申報項目

符合以上情況的納稅人應申報 T1141〔表 7.3〕，申報項目包括：

（一）第一部份：基本資料

（1）申報者的基本資料

（2）申報期間

（3）非居民信託的資料：包括信託名稱、信託管理人、執行人、信託的國籍、轄管信託的國家。申報者須附上下列文件：

- 第一年申報的信託、須夾附信託文件的副本，包括信託條款、備忘、後期的變更。
- 如以往曾申報過，自上次申報後任何新設或變更信託的文件副本。
- 如信託編列財務報表，申報期內的年度財務報表副本。

以上文件若非以英文或法文繕寫，稅務局要求時，應翻譯爲英文或法文。

（4）信託設立人（SETTLERS OF TRUST）：名稱及地址

（5）信託的特定受益人：名稱及地址

（二）第二部份：交易（TRANSACTIONS）

（1）構成申報義務的海外信託移轉或借貸是否發生於 1991 年以前：　是 □　，　否 □　。

如果答案是“是”，指出移轉或借貸最初發生的年度。

（ 2 ）在申報年度年底前移轉或借貸給信託或信託所控制的非居民有限公司的彙總：包括接受移轉或借貸者的名稱、地址，所移轉或借貸財產的說明、移轉或借貸的年度、金額。

（ 3 ）年底前由信託收受分配的彙總：包括收受分配者的名稱、地址、所分配財產的說明、金額。

（ 4 ）在年底向信託舉債的關聯人士（ NON-ARM'S LENGTH PERSONS INDEBTED TO THE TRUST ）的彙總：包括關聯人士的名稱、地址、債務的描述說明、金額。

（ 5 ）年度內信託或受信託控制的非居民有限公司向其舉債的人士（ PERSONS TO WHOM THE TRUST OR A NON-RESIDENT CORPORATION CONTROLLED BY THE TRUST IS INDEBTED ）的彙總：包括該人的名稱、地址、舉債的說明及金額。

7.7 由海外信託收受分配及借款

作爲居民的納稅人在其稅務年度內的任何時間有受益利益（ BENEFICIAL INTEREST ）時應申報 T1142 表："由非居民信託收受分配及舉借債務資訊呈報表"（ INFORMATION RETURN IN RESPECT OF DISTRIBUTIONS FROM AND INDEBTEDNESS OWED TO A NON-RESIDENT TRUST ），如〔表 7.4 〕。

7.7.1 誰須申報？

納稅人若符合下列情況應申報 T1142 表：

- 從海外信託收受分配
- 向海外信託舉借債務

作爲信託受益人或信託承設其利益的納稅義務人，通常在該信託有“受益利益”（ BENEFICIARY INTEREST ）。

就如同海外財產申報的規定一樣，非居民及一些免稅（ TAX-EXEMPT ）的有限公司或信託不須申報。合夥事業有 90 %以上的損益來自非居民時，亦不須申報。

納稅人有“受益利益”的信託若屬以下類別，則可免申報：

- 個人退休安排（ INDIVIDUAL RETIREMENT ARRANGEMENT, IRA ），這是美國的退休計劃，類似加拿大的 RRSP 。
- 員工贊助的養老金計劃（ EMPLOYEE-SPONSORED PENSION PLAN ），在外國享受免稅待遇。
- 根據海外財產申報其他條款已申報的信託。

須特別注意的是，下列爲“不可”免申報的信託：

- 除 IRAs 以外的海外退休儲蓄計劃，如果在外國非屬員工贊助（ EMPLOYEE -SPONSORED ）及免稅者。
- 海外互惠基金（ FOREIGN MUTUAL FUNDS ）

此外，去世的納稅人在海外的遺產信託仍在申報之列，但據了解，日後有可能改爲免申報。

【例】馬小姐持有若干單位的海外互惠基金，在 1996 年初價值$10,000 ，在年度中她贖回（ REDEEM ）部份單位，價值$5,000 。她應該申報 T1142〔表 7.4 〕，並在所得稅申報表的附表 3 （ SCHEDULE 3 ）申報贖回基金的資本利得或損失。若馬小姐海外財產的總成本額低於$100,000，她應該申報互惠基金於 T1135 表格〔表 7.1 〕，而非 T1142 表格。

7.7.2 申報項目

T1142 表："由非居民信託收受分配及舉借債務資訊呈報表"的申報項目包括：

（一）第一部份：申報者基本資料

（二）第二報份：由非居民信託收受分配，若在年度內任何時間收受資金或財產 --

- 所收受的財產爲資金時，金額多少。
- 所收受的財產爲資金以外的其他財產時，財產的性質及其公平市價（**FAIR MARKET VALUE**）
- 在加拿大所得稅法上收入的性質是所得，還是資本

（三）第三部份：向非居民信託舉借債務，在年度內任何時間所舉借的債務之發生日期、本金金額、年底尙未償還的本金金額、年利率、年度內是否實際支付利息。

7.8 申報截止日期（**DEADLINE**）

對 1996 年之海外財產申報，因第一次實施新規定而有例外，申報期限大致延後一年至 1998 年 4 月 30 日或以後，海外附屬企業資訊呈報因較繁複，且爭議較多，可能延至 1998 年 6 月 1 日以前。除了首年實施的例外，將來海外財產申報之各類表格的截止呈交日期原則上應與所得稅申報的截止日期相同。所以各類納稅人呈交海外財產各資訊呈報表格截止日期分別爲：

- 對個人而言，截止日期一般是次年的 4 月 30 日。去世的納稅人及納稅人本身或配偶經營的企業而不以 12 月 31 日爲企業會計年度年底者，所得稅表申報截止日期的例外亦適用。

- 對信託而言，以後年度的截止日期將是其稅務年度（ TAXATION YEAR ）結束後的 90 天。
- 對合夥事業而言，通常並不須要呈報所得稅表。然而，有 6 位或以上的合夥事業須申報 T5013 的資訊呈報表。以後年度呈報海外財務各表的截止日期應與 T5013 的截止日期相同。當合夥事業的各合夥人均爲個人或信託時，截止日期應是合夥事業會計年度結束後的次年 3 月底。
- 對有限公司而言，一般公司所得稅申報表（ T2 ）應於會計年度結束後 6 個月內呈報。因此截止日期是公司會計年度結束後 6 個月。

另據草案的修正案，第一年成爲加拿大稅務居民者免申報海外財產。

7.9 未如期申報的懲罰

當 1996 年 3 月初提出海外財產申報草案時，各類申報表格未及時呈報的罰則，原訂如下：

（ 1 ）海外財產申報表（ T1135 ）：不按時申報的最低罰款爲每月$500, 最多 24 個月即$12,000 ；若是稅務局指定申報，則最低每月$1,000 ，最多 24 個月即$24,000 。違例超過 24 個月，按海外財產成本額之 10 %罰款，但將已繳的每月遲報罰款額扣除。

（ 2 ）海外附屬企業申報表（ T1134 ）：不按時申報的最低罰款與第 1 項遲報海外財產罰則相同。但超過 24 個月的罰則，則根據納稅人向海外附屬企業或海外有關信託投資或借款的成本額的 10 %計算，但將已繳的每月遲報罰款額扣除。

（ 3 ）移轉或借貸予海外信託申報表（ T1141 ）：不按時申報首 24 個月的最低罰款與第（ 1 ）項海外財產遲報相同。但超過 24 個月的罰款按移轉或借貸給該海外信託的款項的 10 %計算，但將已繳的每月遲報罰款額扣除。

（ 4 ）由海外信託收受分配及借款申報表（ T1142 ）： 不按時申報每日罰款 25 元，但最高是 100 天即$2,500 。

以上的罰則引起廣泛討論，許多意見反映，有些情況下海外資料很難取得，譬如持股佔少數的海外附屬企業很有可能拿不到 T1134 表上所列的各種資訊。因此，在 1996 年 12 月初提出修正議案時，已加入一條款： 當海外資料蒐集有困難且有明確証據顯示已盡力而爲者，可以免罰。至於處罰被指過於嚴苛，修正案亦有所回應而予以減輕： 每遲報一個月罰$500,上限 24 個月即$12,000 的規定，改爲只有在納稅人明知故犯，蓄意逃漏不報的情況下，才會執行。否則普通罰則改爲每天罰$25 ，上限 100 天即$2,500 。超過 24 個月未申報者，處罰上限由原訂的資產成本的 10 %降爲 5 %。

7.10 對海外財產申報的誤解

自 1996 年 3 月初海外財產申報規定（ FOREIGN REPORTING REQUIREMENTS ）的草案及申報表格草稿公佈後，加拿大及海外的傳播媒體有許多報導，也引起各方很大的關注，但有不少資訊的真確性是有待商榷的。

譬如在溫哥華有一篇廣爲流傳的報導稱： “加拿大政府將強制居民申報海外財產，富有的移民首當其衝，從溫哥華西區豪宅求售個案激增，可以得到証明。...........爲了逃避即將實施的海外財產申報辦法，富有商人寧願放棄居留權，回到原居地。” 對此篇報導，卑詩省台灣商會創會會長姚鈦在該商會舉辦的一個座談會中，引述由加拿大地產局公佈的 1996 年 7 、 8 、 9 月大溫各地區（包括溫哥華西區）公開推出市場求售的各類房屋數量，與 95 年同期比較，來駁斥上述報導的不正確。而兩者比較亦顯示，溫哥華西區房屋出售的數量 1996 年與 1995 年同期比較並無增加，其他各區各類房屋求售的數量兩年相比，也沒有顯著差異，而且還有略降的趨勢。

1996 年 10 月 6 日台灣的大報之一《自由時報》以頭版頭條報導："加拿大將自下**月起實施**強制居民申報海外財產的新法.......移居加拿大的台灣移民，將因申報海外資產而**付出龐大的稅款**，不少人已有不如歸去的念頭......新法規定舉凡海外擁有逾十萬元加幣以上的財產，包括投資、股份、銀行存款等，均必須誠實申報，**作爲課稅的基準**，.......這項措施與先前備受爭議的公司資本稅，預料對外商及移民投資加拿大的信心，將造成重大衝激。" *（黑體爲本書作者所加）

這篇報導刊出後，在台灣社會引起很大的震驚，引致許多原有意移民加拿大的人裹足不前。這篇報導影響嚴重的誤導是：加拿海外財產申報新法實施後，將以居民所申報的海外財產爲"課稅的基準"，課徵資本稅。因此坊間流傳的說法是，加拿大政府要和您分身家財產，絕不可據實相報，否則報出去的財產就可能因加拿大高達 50 %的稅率而只剩下一半；但若不誠實申報，又有重罰，所以不如一走了之。有心移民加拿大的人看到這篇報導，及其後在 1996 年 10 月份的《中國時報》、《聯合晚報》等有欠確切的報導後，都覺得須重新考慮是否該移民加拿大，以免大半生努力經營才賺得的財產，要分一半給加拿大政府。

《溫哥華太陽報》專欄作家伊麗沙白.艾德就曾發表一篇名爲「假如閣下不滿意海外財產申報，請離開加拿大」的文章，該文指出新移民在低稅甚至無稅地區賺錢，卻跑到加拿大來，在移民前，他們應明白加拿大是高稅國家，這些人使用加國的學校、公園、公路，卻不願爲這個社會作出貢獻。假如這些人選擇離開，就讓他們離開好了， 可能沒有這種人的加拿大會更美好。反映出有人可能因酸葡萄的心理，刻意扭曲海外財產申報的立法原意，說是針對富有的台灣、香港移民，帶有種族歧視色彩。當華人社區針對海外財產申報一些技術上滯礙難行及太過擾民之處提出意見時，加拿大有些當地人便產生誤解，認爲反對的原因是不願意申報“海外所得” ，不願意繳稅。

本書希望藉著闡釋海外財產申報的立法基礎，協助明智的讀者分辨所接觸到的不同資訊，判別真假，作出正確的決策。並對有關的誤導和誤解，試圖作出一點澄清：

1. 加拿大所得稅法長久以來即規定納稅人應就其全世界所得申報。所以，海外所得要申報並不是一項新的規定，而作爲稅務居民的納稅人所申報的海外所得，若在外國已報繳了外國所得稅，可以出具外國所得稅申報表及憑單，申請以“外國稅款抵減”的名義減低應繳稅款，原則上只是補足稅款的差額，並無雙重課稅。
2. 要求就“全球所得”申報是目前大多數先進國家的稅務政策所趨，美國、澳洲等均實施“屬人主義”的稅務制度，一旦成爲其居民，就須就全世界所得申報， 而此做法似乎也是世界各國稅務改革潮流。不管移民到那裏去，也免不了要就全球所得報稅；即使不移民也不見得原居地不會實行此稅制。
3. 加拿大的稅率雖高，但只針對所得課稅，原則上沒有所得就沒有稅。海外財產申報只是一種資訊的呈報，讓加拿大政府瞭解加拿大納稅人在海外持有的財產及所作的投資而已，並不會因此付出任何稅款。只要對海外所得誠實申報，應可坦然無懼。
4. 海外財產申報有其正面的意義：財產本身既然無稅，一旦申報了海外財產後，等於向加拿大稅務局備案在海外尙有多少產業，將來有一天這些產業如果變現攜入加拿大時，僅是有增值的部份須納入所得，其餘財產的成本部份是完全免稅的。

5. 在加拿大已居住一段時間，以往對海外所得因無知或僥倖的心理而未申報或申報不實者，不要誤以爲離開加拿大撕毀移民紙，就可一走了之。因爲若有居住關係在加拿大，加國稅局仍會認其爲"稅務居民"而追究應繳的稅，其在加拿大的財產可能被拍賣繳稅。即使已將加拿大的財產過戶於子女名下也未必能逃避。因根據加拿大稅法第 160 條，稅務局當發現某人欠稅時，可追究其繼承或接受贈予財產的子女負擔所欠稅款，並附加利息及罰款，最高可達該財產的公平市價。

6. 因要實行海外財產申報而回流者並不是很多，不可聽信謠言。以往海外所得漏報的部份最好自願補報（VOLUNTARY DISCLOSURE）。即使照規定辦理回流，將來重新入境回到加拿大居住時，並不表示可以重新洗牌，在離境回流前若因逃漏所欠稅款及利息、罰款的責任，並不會被免除。而離境時，依規定應繳離境稅，並做離境財產申報。是否回流應考慮多種因素和利弊得失，不要只計算眼前的得失。

【附錄一】卑詩省雇傭標準法指南（節譯）

GUIDE TO THE EMPLOYMENT STANDARDS ACT

在加拿大經營企業須對勞資關係的規定，尤其政府法令中對勞方權益的保障有所了解，以免因不明瞭法令，誤觸法網，被勞方檢舉控告而受罰。各省的規定原則上是大同小異。茲節錄卑詩省雇傭標準法指南中的主要章節，以見相關法令的一斑。

第一章　什麼是雇傭標準法

本法案的目的在確保卑詩省的受雇人士最少獲享最低的工資及起碼的雇傭條件。爲此，本法案設定雇員之基本權利及雇主的義務。本法案促進雇員及雇主的公平待遇，加強勞動的生產力及有效性，以協助員工達成工作及家庭的義務。本法案並設立公平、有效的解決勞資糾紛的方法。

第二章　那些人適用本法案

□ 那些行業適用

絕大多數卑詩省之雇主及雇員均適用本法案，只有少數適用聯邦勞工法的行業或少數其他例外行業。本法案適用於全時間及部份時間工作的員工。

□ 不受本法案管轄的行業

卑詩省的醫生、律師、建築師、牙醫、保險經紀人、會計師及房地產經紀人均不受本法案管轄。

其他不受管轄的尙包括：褓姆、在所就讀學校工作的高中生、接受政府補助參與政府贊助之就業計劃者。

第三章　員工之雇用

☐ 人權法案

雇傭標準法並沒有規定雇主雇用員工時有何特定程序。但人權法案禁止在招聘廣告或雇用上有任何基於種族、膚色、政治、信仰、婚姻狀況、性別、年齡等與雇用無關的歧視。

☐ 不得因雇用而收費

雇主不得因雇用某人而要求或接受任何金錢。

☐ 職業介紹

職業介紹不得因給某人介紹工作或提供雇主的資訊而向受雇者收費。

☐ 家庭工

指在雇主家中留宿並提供煮飯、清潔及照顧兒童等服務的工作。

雇主須提供家庭工書面雇用合約，每月食宿費不得超過$325 。

第四章　薪資的支付

☐ 最低薪資

自 1995 年 10 月 1 日起，最低時薪是$7.00 。

☐ 發薪日

每位員工最少一個月發兩次薪水。除休假薪資（ VACATION PAY ）及存入"工時銀行"的超時工資外，所有在發薪週期內賺取的薪資須於該週期結束後的 8 天內發給員工。發薪週期不得超過 16 天。

☐ 員工離職

當一個員工離職或被開除時，須於 48 小時內支付薪資的全額。若員工主動辭職，須於 6 日內支付薪資的全額。若無法找到辭職員工時，須於 60 日內將薪資繳至省政府技術、訓練及勞工廳（ MINISTRY OF SKILLS, TRAINING AND LABOUR ）之雇傭標準局（ EMPLOYMENT STANDARDS BRANCH ），該處將錢信託保管。

☐ 支付形式

薪資必須以現金、支票、銀行本票或匯票方式支付，亦可直接存入員工的銀行帳戶，以直接存款方式支付時須先由員工書面授權。

☐ 薪資扣繳

雇主可由員工的薪資中扣繳卑詩省及加拿大法案所要求之扣繳，如所得稅、加拿大養老金（CPP）保費、就業保險保費，而不須員工的書面協議。

☐ 員工要求的扣繳

雇員可以書面要求雇主將其部份薪資繳給第三者如工會、慈善機構、養老金計劃、醫療及牙醫保險或贍養費。 雇主須自扣繳後一個月內把款項付予指定的第三者。要中止此類支付，雇員須以書面通知雇主及受付的個人或組織。不得要求雇員支付任何雇主的營業成本，包括損毀或損失。員工若被要求支付或扣繳，省政府勞資標準處可能爲員工索賠。

☐ 薪資表

雇主於發薪日應給雇員一書面的薪資表，包括下列資訊:

- 雇主姓名、地址
- 員工的工作時數
- 員工的工資率、薪水、獎金等
- 員工的加班時數
- 員工應支領的其他款項、津貼等
- 各項扣繳的金額及目的
- 若員工非以工時或薪水支薪，工資如何計算
- 員工的薪資總額
- 員工由存入“工時銀行”支取的超時工資，尙結餘多少時數。

雇主向員工提供過一次薪資報表後，若下一次的薪資表與前一次相同可免再

提供。

第五章　記錄之保存

□ 薪資記錄

本法案要求雇主在主要營業場所以英文保留每一員工的下列記錄:

- 員工姓名、出生年月日、職業、電話號碼、住址
- 開始雇用日期
- 員工的工資率、薪水
- 每日工作時數、無論員工是否以工時計薪
- 員工的福利
- 每一發薪週期員工支薪的薪資總額及淨額
- 員工薪資扣繳的金額及原因
- 員工休假的法定假日及支領的金額
- 年假休假日期、支領金額，未休的日數及金額
- 支取存入"工時銀行"的超時工資的日期及金額，結存的時數。

雇傭中止後，記錄仍須保留 7 年。

□ 法定假日補休記錄

若雇主及大部份員工協議以另一天補休法定假日，雇主應保存記錄 7 年。

□ 員工記錄

員工雖沒有被要求保存記錄，但員工最好自行記錄每日的工作時數。該記錄有助於解決工時及工資支付的爭議。

第六章　工作時數

□ 工作時數通知

雇主必須張榜公佈工作的起止日期，每班的上下班時間，以及用餐時間。這些通知公佈的地點應便於所有雇員閱讀。

□ 班次時間的變更

班次時間如有變動，雇主應提前 24 小時發出通知，除非班次時間的變更會給雇員帶來超時工資，或是在下班前延長本班次的工作時間。

□ 用餐時間

連續工作 5 個小時以後，雇員有權享有 30 分鐘用餐時間。如果在用餐時間要求雇員工作或隨時聽候工作安排，須支付其用餐時間的工資。

□ 一班兩段制

一班兩段制從開始時起計必須於 12 小時內結束。

□ 每日最低工資

雇員一旦開始工作就應獲得至少 4 小時的工資，即使該雇員實際工作不滿 4 小時。如果由於雇主無法控制的原因（例如天氣不適宜等）而中止工作。雇員的工資應按 2 小時或實際工作時數計算（以兩者間較大者爲準）。

學生在上課日工作應獲得至少 2 小時工資，在非上課日工作則應獲得至少 4 小時的工資。如果雇員報到上班但實際並未工作，該雇員仍應獲得至少 2 小時工資，除非該雇員不適宜工作或不遵守勞工賠償局（WORKERS'COMPENSATION BOARD）的衛生和安全規定。

□ 休息時間

雇員每週必須有連續 32 小時的休息時間。如果雇員在這期間工作這段時間內的所有工作時數均應獲得雙倍工資。雇員在每個班次之間應有至少 8 小時的休息，除非是出於意外緊急情況的需要。

第七章　超時工作

□ 工作時數不得過多

雇主不得要求或容許雇員工作的時數過多，以致危及雇員的健康或安全。

□ 日內超時

如果雇員一日之內工作超過 8 小時，超出部份的頭 3 個小時應獲得一倍半的工資，超過 11 小時的部份應獲得雙倍工資。

□ 週內超時

如果雇員一週之內工作超過 40 小時，則超出的頭 8 個小時應獲得一倍半的工資，超過 48 小時的部份應獲得雙倍工資。

計算週內超時總數時，週內工作總時數只包括每日工作的頭 8 個小時。雇員一日之內工作超過 8 小時的部份應獲得日內超時工資（見上文）。

如果週內有法定假日，有權享受這一假日的雇員，工作超過 32 小時的部份應獲得一倍半的工資，超過 40 小時的部份應獲得雙倍工資。計算週內超時總數時不包括雇員在法定假日工作的時間。計算超時總時數時，每週由星期日起計至星期六止。

□ 農場勞工的超時

農場勞工 2 週內工作超過 120 小時的部份應獲得至少雙倍的工資。

□ 將超時存入雇員的“工時銀行”

應雇員的書面請求，雇主可建立雇員“工時銀行”來儲存雇員的超時工資，而不必在超時後立即支付超時工資。

雇員可在任何時候要求雇主支付存入工時銀行的全部或部份超時工資。雇員還可以要求在雙方同意的期間帶薪放假，或以書面形式要求關閉工時銀行。

解聘或關閉工時銀行時，雇主須將結餘的所有超時工資付給雇員。

所有存入工時銀行的超時工資必須在 6 個月內由雇員支取或由雇主清還。雇主可規定統一的清還時間，前提是所有超時工資必須在超時工作後 6 個月內付清。

第八章　法定假日

☐ 卑詩省的法定假日

每年有 9 個法定假日:

新年元旦（ NEW YEAR DAY ）

復活節前的星期五（ GOOD FRIDAY ）

維多利亞日（ VICTORIA DAY ）

加拿大日（ CANADA DAY ）

卑詩日（ BRITISH COLUMBIA DAY ）

勞動節（ LABOR DAY ）

感恩節（ THANKSGIVING DAY ）

國殤節（ REMEMBRANCE DAY ）

聖誕節（ CHRISTMAS DAY ）

留意復活節（ EASTER SUNDAY, MONDAY ），節禮日（ BOXING DAY ）不是法定假日。

☐ 休假權

員工受雇 30 天後有權在法定假日休假而有薪酬。（本法規定義的經理無法定假日的休假權。）

☐ 法定假日薪資

- 正常班的員工在法定假日前的 30 天內工作已滿 15 天時，法定假日的薪資如正常的日薪。
- 工作小時不定的員工在法定假日前的 30 天內工作已滿 15 天時，法定假日的薪資爲一日的平均工薪。該金額的計算是以扣除加班後，在過去 30 日所賺的總薪資除以工作日數。
- 員工在法定假日前的 30 天內工作不滿 15 天時，法定假日可獲部份的日薪。金額的計算以扣除加班後，在過去 30 天內所賺的薪資除以 15 。

□ 在法定假日工作

在法定假日有權休假的員工若在假日工作，前 11 小時應付一倍半的工資，超過 11 小時付雙倍工資，員工並可另選一天帶薪補休。若有超時工作工時銀行的制度，亦可將補假一天的工時存入。

雇主安排補假須於:

- 年假前
- 雇傭中止前
- 若採用超時工作工時銀行，應於法定假日後 6 個月內。

若員工無權補休時，以正常工作日付薪，並無權補假一天。

□ 法定假日內不需上班日

若法定假日正好是原不需上班的日子，須補假一天並付薪酬。

第九章　請假及陪審

□ 產假

懷孕的員工可以拿連續 18 個星期的無薪產假。產假最早不得早於預產期 11 個星期，亦不得早於產後 6 個星期結束，除非員工提出要求提前銷假。產後才請產假，或產假銷假上班後又請假，最多延續 6 星期。員工懷孕期間請產假須於 4 週前提出，產後不滿 6 星期即要求銷假上班須以書面最少一週前提出。雇主於員工提出請假或銷假時得要求醫生証明。

□ 生育或領養假

生育或領養子女的父母最多可以有 12 週的無薪生育或領養假。除與雇主另有協定外，產婦須於產假期滿後立即開始生育假。生育子女的父親須於子女出生後的 52 週內請生育假，領養子女的父母須於領養後的 52 週內請領養假。除原定的假期外，最多可延長 5 週。生育假最晚須於預產期 4 週前提出。

□ 家庭責任假

雇員爲履行對其直屬家庭成員的照顧、健康、教育的責任，一年最多有 5 天無薪假。直屬家庭成員包括：配偶、子女、父母、監護人、兄弟姊妹、孫子女、祖父母等。

□ 喪假

直屬家庭成員過世時，最多有 3 天無薪假。

□ 陪審

若員工被要求出席法庭擔任陪審員，在陪審期間是無薪假。

□ 延續雇傭關係

員工請假或陪審、其雇傭關係在計算年假、中止雇傭、養老金、醫療及其他福利計劃時，均視爲繼續雇用。

第十章　年假

□ 年假資格

連續雇用 12 個月後，雇員有資格休假 2 個星期。連續雇用滿 5 年，以後每年休假 3 星期。在雇用的第一年，無權休年假。除非員工另作要求，雇主應爲員工安排爲期一週或數週的年假，並確保員工在有資格休假後的 12 個月內拿假。

雇主可以訂一個共同的日期來計算員工的休假資格，使員工的年假或休假薪資的權利受到保障。連續雇用員工的年假天數的計算，不因企業的出售、租賃或轉讓而受到影響。

□ 休假薪資（VACATION PAY）

員工有資格休假的頭 4 年，雇主應付前一年度所有薪資的最少 4 %爲休假薪資。第五年及以後的年度則爲前一年度所有薪資的最少 6 %。員工所收到的任何休假薪資，應算作當年度所有薪資的一部份。

休假薪資應於年假開始前最少 7 天發給員工，但若雇主及員工同意，或有集體協定，亦可於經常發薪日發給員工。

雇主不得因支付員工紅利，病假薪資或曾給長於年假的假期而減少員工的休假薪資。但若員工以書面要求提前拿假時，休假期應按比例扣減。若員工雇用不滿 5 天，無權支領休假薪資。

第十一章　特殊工作服（制服）

雇主若要求員工穿著特殊之工作服或特別品牌的服飾時，雇主應予提供，並清洗及維護之。

若雇主及大多數在工作場所受影響的員工同意由員工清洗及維護工作服時，雇主應向員工付還清洗維護費用支出。

雇主不得因提供特殊工作服而扣減員工薪資，或要求員工付押金。

雇主應保留有關協定及付還款項的記錄 7 年。

第十二章　停職（ **TERMINATION OF EMPLOYMENT** ）

□ 補償資格

雇主終止員工的雇用時，應根據服務年資補償員工，計算公式如下：

- 連續雇用 3 個月後，加發一週薪資
- 雇用一年後，加發 2 週薪資
- 三年後，加發 3 週薪資；以後每增加一年的雇用，再加發一週薪資，最多 8 年。

週薪的計算，以扣除加班後的過去 8 週所有正常工時賺得的薪資除以 8 。員工停職時應支領休假薪資。

員工連續雇用的年資不因企業出售、租賃及轉讓而中斷。

□ 書面通知

雇主若於員工停職前提前給員工書面通知，則不須加發薪資。提前通知的週數與上述加發薪資週數相同。

雇主亦可以提前通知及加發薪資的混合方式補償員工，補償的週數如上述。

通知期間不得是員工休假、請假、罷工或因健康醫療緣故不克工作時。若通知期滿後，員工繼續留任，通知變成無效。一旦發給停職通知，若無員工的書面同意，雇主不得改變任何雇傭條件，包括工資率。

□ 不須提前通知或補償的情況

若有以下的情況，雇主不須提前通知或加發薪資補償員工:

- 員工辭職或退休
- 員工因正當理由被辭退
- 員工的工作原屬臨時召喚（ ON-CALL ）性質，有權接受或拒絕
- 員工的雇用原訂有特定期限
- 員工因特定的工作而被雇用，工作將於 12 個月以內完工
- 因無法預知的事件或情況（破產除外）而無法執行工作
- 員工受雇於工地，雇主主要的業務是建築
- 員工拒絕合理的替代性的雇用
- 員工是教育局聘用的教師

預定完工日後，特定期限或特定工作延續超過 3 個月時，上述特定期限或特定工作的例外規定將不適用。

第十三章　投訴程序

雇主和雇員應當了解雇傭標準法和雇傭標準管理條例關於他們各自權利和義務的規定，並努力自行解決彼此間可能發生的爭端。對於他們無法解決的問題，雇傭標準局將依據雇傭標準法規定的投訴程序協助解決。

□ 雇傭標準法和雇傭標準管理條例的有關規定

如果有人違反雇傭標準法下列條文（註：以下章節是按標準法的編排）的規定，任何人都可以向雇傭標準局提出投訴：

- 第二章 - 勞工的雇用
- 第三章 - 工資、專用服裝和記錄
- 第四章 - 工作時數和超時
- 第五章 - 法定假期
- 第六章 - 請假和陪審員義務
- 第七章 - 年假
- 第八章 - 解聘

也可以就任何違反雇傭標準管理條例下列規定的行爲提出投訴：

★第 6 款 - 農場勞工承包商的義務

★第 14 款 - 家庭雇工食宿費的最高限額

★第 18（2）款 - 農場勞工雇主張榜公佈有關事宜的義務

★第 21 款 - 雇主張榜公佈彈性工作時間的義務

★第 22 款 - 住宅區護理人員的休息時間

★第 23 款 - 農場勞工的超時

★第 35（2）款 - 雇主張榜公佈住宅區護理人員工作時間表的義務

□ 提出投訴的程序

投訴必須在下文規定的時限內以書面形式遞交雇傭標準局的任何一間辦事處。投訴表格可向雇傭標準局辦事處索取。投訴也可以信函、傳真或電子郵件等書面形式提交。如有可能，應隨投訴附上工資單、解聘通知、雇傭記錄及其它証明材料。提交投訴不必繳付任何費用。

□ 提交投訴的時限

如果是雇員投訴雇主，則投訴必須於違例行爲發生後 6 個月內提交雇傭標準局。如果投訴人已不再爲雇主工作，投訴必須於最後一天工作結束後 6 個月內提交。

如果投訴涉及下列情形，則投訴必須於違例行爲發生後 6 個月內提交：

- 謊報工作機會、類型、工資、條件等
- 以向某人提供就業或爲某人找到工作爲理由向其收取費用
- 職業介紹所付錢給某人，讓其爲另一個人找到工作或協助另一個人找到工作

☐ 保密

如果投訴人以書面形式要求給予保密，則雇傭標準局會同意照辦，但下列情況例外：

- 雇傭標準法的程序規定必須披露當事人姓名
- 以向某人提供就業或爲某人找到工作爲理由向其收取費用
- 雇傭標準局認爲披露當事人姓名符合公眾利益

☐ 調查

雇傭標準局將調查所有投訴，但下列情況例外：

- 投訴未在雇傭標準法規定時限內提出
- 雇傭標準法不適用於提出的投訴
- 投訴事由是瑣屑無謂的
- 投訴的證據不足
- 投訴另有法庭或特別法庭在受理
- 法庭已就此作出裁定
- 引發投訴的爭端已得到解決

雇傭標準局將盡可能協助當事各方自願了結投訴。

☐ 裁定

如果投訴已調查完畢而又尚未自行了結，雇傭標準局將作出「裁定」，以決

定是否受理投訴。

如果屬於違反雇傭標準法或雇傭標準管理條例的行爲，雇傭標準局可以:

- 要求當事人執行有關規定
- 要求當事人糾正或終止某項行爲
- 處罰當事人

如果違例行爲涉及謊報工作機會或雇傭條件，或與休假有關，雇傭標準局可以要求雇主:

- 雇用某人或讓某人復職並支付損失的工資
- 向某人作經濟賠償而不是讓其復職
- 補償違例行爲給某人造成的開支

如果雇傭標準局要求雇主支付工資，該工資僅限於提交投訴或工作終止（以先發生者爲準）前 24 個月裡應付的工資。也可能須爲拖欠的工資支付利息。

□ 上訴

當事任何一方可於雇傭標準法規定的時限內就雇傭標準局的裁定向雇傭標準法庭提出上訴。當事人接獲裁定副本時將被告知如何提出上訴。

第十四章　農場勞工

□ 農場勞工的定義

雇傭標準管理條例（ EMPLOYMENT STANDARDS REGULATION ）中關於農場勞工的定義爲: 「農場、牧場、果園或農業作業的雇員，」但不包括下列人員:

- 從事農場、牧場、果園或農業作業的產品加工的雇員
- 園藝師或零售業苗圃/養殖場的雇員
- 水產養殖業的雇員

雇傭標準法（ EMPLOYMENT STANDARDS ACT)和雇傭標準管理條例的大部份條款均適用於農場工人，但也有重要例外，詳見下文。

□ 最低基本工資

必須支付農場勞工最低工資，但農場勞工收獲某些農作物時例外。這些農作物的種類及政府批准的相應最低計件工資下文另有敘述。

如果支付農場勞工計件工資，雇主必須張榜公佈採摘容器的大小尺寸，裝滿容器所需農作物的容積或重量，以及計件工資額。

□ 工作時數和超時規定

如果農場勞工在兩週工作時數超過 120 小時，則超出部份的工資必須最少是常規工資的兩倍。

雇傭標準法第四章的有關規定不適用於農場勞工。這些規定涉及:

- 工作時數通知
- 用餐時間
- 一班兩段制
- 休息時間
- 最高工作時數
- 彈性工作時間及有關事宜

□ 農場勞工承包商

雇傭標準法規定農場勞工承包商必須申領牌照，但專門從事林業或樹木噴藥或修剪者例外。牌照申請人必須了解雇傭標準法或雇傭標準管理條例並提交抵押。抵押金額計算方法爲: 雇員人數× 120 小時工資數。雇傭標準管理條例第 6 節對農場勞工承包商的責任有所規定。

如過農場勞工承包商將雇員送抵農場後但沒有提供工作，農場勞工承包商必須按最低基本工資支付雇員工資，時數以下列兩者中較多者爲準:

- 4 小時
- 來回出發地點或另一較近而爲雇員接受的地點所耗費的時數

如果沒有工作是由於天氣不適宜或其他農場勞工承包商完全無法控制的原

因，則本規定不適用。

農場勞工承包商還必須在工作場所和載送雇員車輛的顯著位置張榜公佈農場勞工的工作工資。

擁有牌照的農場勞工承包商是爲其工作的農場勞工的雇主。任何人（包括農場生產者在內），如果使用無牌農場勞工承包商提供的農場勞工，即被雇傭標準法視爲該農場勞工的雇主。根據雇傭標準法第 30 款規定，農場勞工承包商和使用農場勞工承包商服務的人，雙方對任何拖欠的工資均負有責任。

農場勞工承包商不得以雇用某人或爲某人找到工作爲理由而向該人收取費用。

□ 採摘某些農作物的最低計件工資

農場勞工受雇手工採摘下列農作物時最低計件工資（按總容積或毛重計算）如下表：

農作物	工資
山莓（ RASPBERRIES ）	$0.275/磅
草莓（ STRAWBERRIES ）	$0.265/磅
紫莓（ BLUEBERRIES ）	$0.305/磅
櫻桃（ CHERRIES ）	$0.173/磅
蘋果（ APPLES ）	$13.16/箱（ 27.1 立方呎）
梨子（ PEARS ）	$14.81/箱（ 27.1 立方呎）
杏子（ APRICOTS ）	$15.14/半箱（ 13.7 立方呎）
桃子（ PEACHES ）	$13.99/半箱（ 13.7 立方呎）
李子（ PRUNE PLUMS ）	$14.81/半箱（ 13.7 立方呎）
葡萄（ GRAPES ）	$13.99/半箱（ 12.6 立方呎）
球芽甘藍（ BRUSSELS SPROUTS ）	$0.125/磅
蠶豆（ BEANS ）	$0.18/磅
豌豆（ PEAS ）	$0.225/磅
蘑菇（ MUSHROOMS ）	$0.181/磅
水仙（ DAFFODILS ）	$0.11/束（ 10 株）

【附錄二】加拿大各省個人及公司稅率(1996 年)

1. 個人稅部份：

省份	省稅稅率*	其他稅
British Columbia 卑詩省	52.5%	省基本稅超過$5,300 時，附加稅 30%，省基本稅超過$8,915 時，額外再加 21.5%之附加稅
Alberta 亞伯他省	45.5%	0.5%之單一稅，省基本稅超過$3,500 時另加 8%附加稅
Saskatchewan 沙省	50.0%	2%之單一稅，省基本稅超過$4,000 時，另加 15%附加稅
Manitoba 緬省	52.0%	淨所得 2%之單一稅，淨所得超過$30,000 時另加 2%附加稅減$600。
Ontario 安大略省	58%	省基本稅超過$5,500 時，附加稅 20%，省基本稅超過$8,000 時，再加 10%之額外附加稅
Quebec 魁北克省	以累進稅率自行收稅，魁省居民收到相當於 16.5%聯邦基本稅之減項	
Newfoundland 紐芬蘭省	69%	無附加稅
New Brunswick 紐賓士域省	64.0%	省基本稅超過$13,500 時，附加稅 8%
Nova Scotia 諾華史高沙省	59.5%	省基本稅超過$9,000 時，附加稅 10%，超過$10,500 時，附加稅 30%

Prince Edward Island 愛德華皇子省	59.5%	省基本稅超過$12,500 時，附加稅 10%
Northwest Territories 北西特別區	45.0%	無附加稅
Yukon 育康特別區	50.0%	5%附加稅

*除魁北克省外，各省之省稅稅率以“應繳之聯邦基本稅（ BASIC FEDERAL TAXES PAYABLE ）”爲基礎，乘以省稅稅率計算各省之基本省稅，另有附加稅。

2. 公司稅部份：

省份	省稅稅率	小型企業所得之省稅稅率
British Columbia 卑詩省	16.5%	10.0%
Alberta 亞伯他省	15.5%	6.0%
Saskatchewan 沙省	17.0%	8.0%
Manitoba 緬省	17.0%	9.0%
Ontario 安大略省	155%	9.5%
Quebec 魁北克省	8.9%	5.75%
Newfoundland 紐芬蘭省	14.0%	5.0%
New Brunswick 紐賓士域省	17.0%	7.0%
Nova Scotia 諾華史高沙省	16.0%	5.0%
Prince Edward Island 愛德華皇子省	15.0%	7.5%
Northwest Territories 北西特別區	14.0%	5.0%
Yukon 育康特別區	15.0%	6.0%

【圖表目錄】

表 1.1 (1)　NR74 ：居民身份之確定（入境加拿大）

Revenue Canada　Revenu Canada

DETERMINATION OF RESIDENCY STATUS (Entering Canada)

NR74(E) Rev. 95

- Use this form if you have entered or sojourned in Canada. Revenue Canada will determine if you are a resident of Canada for income tax purposes.
- Mail one completed copy of this form for each taxation year in question to the International Tax Services Office, 2540 Lancaster Road, Ottawa ON K1A 1A8. If you prefer, you can send the form by fax to 613-941-2505.
- If you need help completing this form, you can get Interpretation Bulletin IT-221R2, *Determination of an Individual's Residence Status,* or call the International Tax Services Office at the following numbers:

Calls from within the Ottawa area 952-3741
Calls from other areas in Canada and the United States 1-800-267-5177
Calls from outside Canada and the United States (we accept collect calls) (613) 952-3741

Please attach any necessary additional information to this form.

1.

Surname	Usual first name and initial	Social insurance number or temporary taxation number	Taxation year 19
Canadian address			Telephone number
Mailing address (if different from above)			Citizenship
Would you like us to change our records to show this as your mailing address? ☐ Yes ☐ No			In what country did you live?

2.

Date of entry	How long will you be living in Canada? (if applicable)	When will you leave Canada? (if applicable)

3. Which of the following situations apply to you?

☐ You usually live in another country, and you will be temporarily living in Canada for ________ days in the year, but will leave Canada during the year. (We will calculate the number of days if you give us the dates you will be in Canada.)
☐ You usually live in another country, but enter and leave Canada on the same day to work, shop, or study.
☐ You usually live in Canada, but you leave Canada during the day to work, study, or shop in another country, and return to Canada the same day.
☐ You have landed immigrant status.
☐ You have applied for landed immigrant status. Please provide date of application - day/month/year. ________
☐ You have been given permission by Citizenship and Immigration Canada to stay in Canada for an extended period.
☐ You have a visa that allows you to be in Canada temporarily. Please provide the following information:
What type of visa do you have? ________ Expiry date ________

We may ask you to provide a copy of the documents from Citizenship and Immigration Canada that allow you to stay in Canada.

4. Please indicate the reason you were living outside Canada.

☐ You were a member of the Canadian Forces.
(a) ☐ You were an ambassador, a high commissioner, an agent-general of a province or territory of Canada, or an officer or servant (employee) of Canada or of a province or territory of Canada, or
(b) ☐ You are an employee or officer of a Canadian Crown corporation, either federal or provincial, where
☐ the corporation is designated as an agent of Canada
☐ the employees of the corporation have been given the status of servants of Canada
☐ none of the above apply. Please explain. ________

If (a) or (b) apply,
Did you receive a representation allowance for the year? ☐ Yes ☐ No
Were you a factual resident or a deemed resident of Canada immediately before your appointment or employment by Canada, the province, the territory, or the Crown corporation? ☐ Yes ☐ No

☐ You were an employee, officer, co-operant, advisor, contractor, or sub-contractor under a prescribed international development assistance program. Please specify. ________

Were you a resident of Canada at any time in the three month period before the day your services commenced? ☐ Yes ☐ No

☐ You were a member of the overseas Canadian Forces school staff who filed income tax returns on the basis that you were a resident of Canada.
☐ You were the spouse of an individual described above.
☐ You were the child of an individual described above.
☐ Other. Please specify. ________

Ce formulaire existe aussi en français.

表 1.1 (2) NR74 ： 居民身份之確定（入境加拿大）

5. Were you a resident of Canada in a previous year? ☐ Yes ☐ No

If *yes*, did you keep residential ties with Canada while living outside Canada? ☐ Yes ☐ No

If you do not know what your residency status was while living outside Canada, please contact the International Taxation Office for help.

6. Please indicate which of the following ties you are going to have in Canada during the year:

Tick (✓) the box that describes your dwelling in Canada:

☐ House ☐ Room and board ☐ University/College residence ☐ Other (please specify) ____________

☐ Suite ☐ Apartment ☐ Hotel ____________

☐ You and/or your spouse (or common-law spouse) own this dwelling.

☐ Your employer will provide a dwelling for you.

☐ If you and/or spouse rent the dwelling, please provide details of the terms of the lease, termination, clause, etc. ____________

☐ Your spouse will live with you in Canada.

☐ The dependent children of you or your spouse will live with you in Canada.

☐ You have other persons you are supporting who will live with you in Canada.

☐ You and your spouse will be eligible to apply for Child Tax Benefit payments. For more information on Child Tax Benefits, contact Human Resources Development Canada at 1-800-387-1193.

☐ You will own furniture or appliances in Canada.

☐ You will have most of your clothing and personal property in Canada.

☐ You will have an automobile licensed in Canada.

☐ You will have a Canadian driver's licence.

☐ You will have bank accounts in Canada.

☐ You will have investments in Canada. Please provide details of your chequing and savings accounts, pension or retirement plans, property, and shares in companies, etc. ____________

☐ You will use Canadian credit cards.

☐ You will own real property other than your home.

☐ You will apply for provincial or territorial hospitalization and medical coverage. To find out if you are eligible for provincial or territorial medical coverage, contact the provincial or territorial health authorities where you live.

☐ You will have professional association memberships that are only available to Canadian residents. Please list these associations. ____________

☐ You will join social, recreational, or religious organizations in Canada. Please list these organizations. ____________

☐ You will be involved with and have responsibilities in partnerships, corporate or business relationships, and endorsement contracts in Canada. Please specify. ____________

☐ You will have other ties with Canada. Please describe them. ____________

☐ None of the items in this section apply to you.

7. You are in Canada for employment. ☐ Yes ☐ No

If *yes*, will you be in Canada for a significant period? ☐ Yes ☐ No

Will your employer second you to a job in Canada? ☐ Yes ☐ No

Will your routine of life be similar to that in another country? ☐ Yes ☐ No

You are in Canada for sport. ☐ Yes ☐ No

If *yes*, will you be in Canada for a significant period? ☐ Yes ☐ No

Will you play for a Canadian sports organization? ☐ Yes ☐ No

Will your routine of life be similar to that in another country? ☐ Yes ☐ No

You are in Canada for education. ☐ Yes ☐ No

If *yes*, will you be a full-time student? ☐ Yes ☐ No

Will your routine of life be similar to that in another country? ☐ Yes ☐ No

If none of the above apply, please explain. ____________

表 1.1 (3) NR74 ： 居民身份之確定（入境加拿大）

8. The following questions about your residential ties in another country will help us provide an opinion on your residency status.

a) Do you foresee a return to your country because of a contract with an employer or because you have a specific date to report back to work in that country? ☐ Yes ☐ No

b) If your spouse will not live in Canada, please provide the name, citizenship, and current address of your (legal or common law) spouse and the reasoh your spouse will not live in Canada. If you are legally separated, this item will not apply to you. ____________

c) If you have dependent children and your children will not live in Canada, please provide the reason, their names, ages, citizenship, and current addresses, as well as the name and address of the school your children attend and the grade in which they are enrolled. ____________

d) If you support individuals, other than through a charitable organization, provide the names, current addresses, and your relationship with these people and financial details of your support. ____________

e) If you have kept a dwelling in another country, please provide details such as the address, type, size, whether you rent or own the dwelling, whether your own the dwelling, whether you keep the dwelling available for your use or for your family's use during return visits to that country, and whether you rent the dwelling at non-arm's length (i.e. rented to a relative). ____________

f) Describe the personal possessions (clothing, furniture, personal items, pets, etc.), you have in another country. ____________

g) If you have a driver's licence issued in a country other than Canada, please state for which country it is issued, the expiry date, and whether you will renew it. ____________

h) If applicable, provide the name of the insurer of your medical/hospitalization coverage while living in Canada, and the length of the coverage. ____________

i) List the professional, social, recreational, or religious organizations in which you are a member in countries other than Canada. ____________

j) Describe the investments you have in countries other than Canada. Include details of chequing and savings accounts, pension or retirement plans, property, shares in companies, etc. that you have in these countries. Explain why you keep the investments outside Canada. ____________

k) Provide details of other consumer relationships, such as lines of credit and credit cards, you have in other countries. ____________

l) Provide the address for your telephone service in other countries, even if it is not listed, and indicate if it is a personal or business service. ____________

m) Provide the address you use for personal stationery and business cards in other countries, if applicable. ____________

n) Provide the addresses for post-office boxes and safety-deposit boxes that you use in other countries, if applicable. ____________

o) Provide details of your involvement and responsibilities in any partnerships, corporate or business relationships, and endorsement contracts you have in other countries. ____________

p) List the countries, other than Canada, you have visited in this calendar year, the length of time spent in each country, and the reason for visiting those countries. Include the dates of entry and departure for each country visited. ____________

q) Are you considered to be a resident of another country? ☐ Yes ☐ No

If *yes*, we may ask you to provide a letter from that government stating that you are a resident of that country for the year in question, and that you are subject to tax in that country as a resident. We may also ask you to provide proof of your income subject to tax in the other country.

9. **Certification**

We use this form as a starting point to obtain the facts we need to provide an opinion on your residency status. Please contact us if your situation changes as your residency status could also change.

I, ____________ (please print), certify that the information given on this form is, to the best of my knowledge, correct and complete.

____________ Date ____________ Signature

Printed in Canada

表 1.2 (1) 個人之稅務評估通知

Revenue Canada Revenu Canada

NOTICE OF ASSESSMENT

T451(E) Rev 96

01

Date	Name	Social insurance no	Taxation year	Tax Centre
May 28, 1996	LIK WER CHEN	638 749 885	1994	Surrey V3T 5E1

Explanation of Changes

0016972

This notice explains the results of our assessment of your income tax return and any changes we may have made. Please refer to the summary for additional information.

We have adjusted the amount of your net federal supplement payments to $9,007, to agree with the amounts that Human Resources Development Canada reported.

We have adjusted the amount of the other payments deduction you claimed from $542 to $9,549. Any related income may have also been adjusted to agree with information we have on file. For more information, see the explanation in your income tax guide at line 250.

We have processed your claim for the goods and services tax credit. We will advise you shortly if you are eligible and also indicate the amount you may be entitled to receive.

We will deposit your refund into the account shown on your direct deposit application.

If you have any questions about your assessment, please call our Burnaby-Fraser Tax Services Office. You can reach our general enquiries staff at 689-5411 for local calls. For long distance calls, dial 1-800-663-9033.

... 2

Pierre Gravelle, Q.C.
Deputy Minister of National Revenue

Revenue Canada Revenu Canada

SURREY BC V3T 5E1

LIN WEN CHEN
14161 84B AVE
SURREY BC V3W 0W5

表 1.2 (2) 個人之稅務評估通知

Revenue Canada / Revenu Canada

NOTICE OF ASSESSMENT

T451(E) Rev.96

02

Date	Name	Social insurance no.	Taxation year	Tax Centre
May 28, 1996	LIK WER CHEN	638 749 885	1994	Surrey V3T 5E1

Summary

0016973

Line	Description	$ Amount
150	Total Income	10,710.
236	Net Income	10,710.
257	Deductions from Net Income	9,549.
260	Taxable Income	1,161.
350	Total Non-Refundable Tax Credits	1,689.
420	Net Federal Tax	0.00
435	Total Payable	0.00
437	Total Income Tax Deducted	0.00
	Sub Total Credits	0.00
T1C	Net Property / Net Sales Cost Of Living Tax Credit	50.00
479	Total British Columbia Tax Credits	50.00
	Total Credits	50.00
	(Total Payable minus Total Credits) (	50.00)
	Balance from this Assessment CR	50.00
	Direct Deposit CR	50.00

Line numbers enclosed in a box XXX identify provincial tax or credit items.

Pierre Gravelle, Q.C.
Deputy Minister of National Revenue

表 1.3 公司之稅務評估通知

Revenue Canada Revenu Canada

NOTICE OF ASSESSMENT

T456 (E) Rev. 96

Page 1 of 1

Name of corporation		Account/Business Number
CHEN ... ENTERPRISE LTD		89108 5076 RC
Taxation year-end	**Date of mailing**	**Tax centre/Tax services office**
April 30, 1996	October 28, 1996	Surrey

000027

SUMMARY OF AMOUNTS ASSESSED

The return for the corporation and taxation year indicated above has been assessed as filed. No balance remains to be paid or refunded.

If you have any questions about this assessment or you want us to adjust the corporation's return, you can visit, telephone, or send a letter or fax to either of the following locations:

Vancouver Tax Services Office
1166 West Pender St.
Vancouver, B.C.
V6E 3H8

Phone (604) 669-2990
Fax (604) 689-7536

Surrey Tax Centre
9755 King George Highway
Surrey, B. C.
V3T 5E1

Phone (604) 585-8759
Fax (604) 585-5772

If you send us a letter or fax, please provide all the details and the corporation's account number so we can process your request.

PIERRE GRAVELLE, Q.C.
DEPUTY MINISTER OF NATIONAL REVENUE

Revenue Canada Revenu Canada

T456 (E) Rev. 95

SURREY BC V3T 5E1

CHEN ... ENTERPRISE LTD
SUITE 288 3316 KINGSWAY AVE
VANCOUVER BC
V5R 5K7

If the corporation's address changes, please let us know as soon as possible. You can notify us of the change to the corporation's address by telephone, in writing or in person.

表 2.1 (1) 個人所得稅表

Revenue Canada / Revenu Canada

T1 GENERAL 1996

Individual Income Tax Return

Step 1 – Identification

Attach your identification label here. Correct any wrong information.
If you are not attaching a label, print your name and address below.

First name and initial

Last name

Address | Apt. or Unit No.

City

Province or territory | Postal code

Enter your province or territory of residence on December 31, 1996:

If you were self-employed in 1996, enter the province or territory of self-employment:

If you became or ceased to be a resident of Canada in 1996, give the date of: entry (Day, Month) or departure (Day, Month)

1

Enter your social insurance number if it is not on the label, or if you are not attaching a label:

Enter your date of birth: Day Month Year

Your language of correspondence: / Votre langue de correspondance : English ☐ Français ☐

If this return is for a deceased person, enter the date of death: Day Month Year 19

Check the box that applies to your marital status on December 31, 1996: We use it to determine the amount of certain credits and benefits.

1 ☐ Married 2 ☐ Living common-law 3 ☐ Widowed

4 ☐ Divorced 5 ☐ Separated 6 ☐ Single

If box 1 or 2 applies, enter your spouse's social insurance number if it is not on the label, or if you are not attaching a label:

Enter the first name of your spouse:

Check this box if your spouse was self-employed in 1996: 1 ☐

Do not use this area

Step 2 – Goods and services tax (GST) credit application

(**You have to apply each year.** See Step 2 in the guide to find out if you should apply this year.)

Are you applying for the goods and services tax credit? .... Yes ☐ 1 No ☐ 2

If *yes*, enter the number of children under age 19 on December 31, 1996 (if applicable) ....

If *yes*, enter your spouse's net income from line 236 of your spouse's return (if applicable) ....

Step 3 – Total income

Item		Line
Employment income (box 14 on all T4 slips)		101
Commissions included on line 101 (box 42 on all T4 slips)	102	
Other employment income (see line 104 in the guide)		104 +
Old Age Security pension (box 18 on the T4A(OAS) slip and box 24 on the T4A(P) slip)		113 +
Canada or Quebec Pension Plan benefits (box 20 on the T4A(P) slip)		114 +
Disability benefits included on line 114 (box 16 on the T4A(P) slip)	152	
Other pensions or superannuation (see line 115 in the guide)		115 +
Employment insurance benefits (box 14 on the T4U slip)		119 +
Taxable amount of dividends from taxable Canadian corporations (attach a completed Schedule 4)		120 +
Interest and other investment income (attach a completed Schedule 4)		121 +
Net partnership income: limited or non-active partners only (attach a completed Schedule 4)		122 +
Rental income	Gross 160	Net 126 +
Taxable capital gains (attach a completed Schedule 3)		127 +
Alimony or maintenance income		128 +
Registered retirement savings plan income (from all T4RSP slips)		129 +
Other income (see line 130 in the guide)	Specify:	130 +
Business income	Gross 162	Net 135 +
Professional income	Gross 164	Net 137 +
Commission income	Gross 166	Net 139 +
Farming income	Gross 168	Net 141 +
Fishing income	Gross 170	Net 143 +
Workers' Compensation benefits (box 10 on the T5007 slip)	144	
Social assistance payments (see line 145 in the guide)	145 +	
Net federal supplements (box 21 on the T4A(OAS) slip)	146 +	
Add lines 144, 145, and 146	=	▶ 147 +
Add lines 101, 104 to 143, and 147. This is your total income.		150 =

Do not use this area	605					600				

5006-R

表 2.1 (2) 個人所得稅表

Step 4 – Taxable income

2

Enter your total **income** from line 150		200
Pension adjustment (box 52 on all T4 slips and box 34 on all T4A slips) 206		
Registered pension plan contributions (box 20 on all T4 slips and box 32 on all T4A slips)	207	
Registered retirement savings plan contributions (attach receipts)	208 +	
Saskatchewan Pension Plan contributions (see line 209 in the guide)	209 +	
Annual union, professional, or like dues (box 44 on all T4 slips, or from receipts)	212 +	
Child care expenses (attach a completed Form T778)	214 +	
Attendant care expenses (see line 215 in the guide)	215 +	
Business investment loss (see line 217 in the guide) Gross 228 Allowable deduction	217 +	
Moving expenses (see line 219 in the guide)	219 +	
Alimony or maintenance paid	220 +	
Carrying charges and interest expenses (attach a completed Schedule 4)	221 +	
Exploration and development expenses (attach a completed Schedule 4)	224 +	
Other employment expenses (see line 229 in the guide)	229 +	
Other deductions (see line 232 in the guide) Specify:	232 +	
Add lines 207 to 224, 229, and 232.	233 =	▶ –
Line 200 minus line 233 (if negative, enter "0"). This is your **net income before adjustments.**		234 =
Social benefits repayment (if you reported income on line 113, 119, or 146, see line 235 in the guide)		235 –
Line 234 minus line 235 (if negative, enter "0"). This is your **net income.**		236 =
Accumulated forward-averaging amount withdrawal (attach a completed Form T581)		237 +
Add lines 236 and 237.		239 =
Employee home relocation loan deduction (from all T4 slips)	248	
Stock option and shares deductions (from all T4 slips)	249 +	
Other payments deduction (if you reported income on line 147, see line 250 in the guide)	250 +	
Limited partnership losses of other years	251 +	
Non-capital losses of other years	252 +	
Net capital losses of other years (1972 to 1995)	253 +	
Capital gains deduction (see line 254 in the guide)	254 +	
Northern residents deductions (attach a completed Form T2222)	255 +	
Additional deductions (see line 256 in the guide)	256 +	
Add lines 248 to 256.	257 =	▶ –
Line 239 minus line 257 (if negative, enter "0"). This is your **taxable income.**		260 =

Foreign property reporting (see page 9 in the guide)

At any time in 1996, did you own any foreign property? .... 266 Yes ☐ 1 No ☐ 2

If *yes*, and if the cost amounts of all such property at any time in 1996 totalled more than CAN$100,000, file Form T1135.

Did you earn any income or realize any gains from foreign property in 1996? .... 267 Yes ☐ 1 No ☐ 2

If *yes*, include in calculating your income for 1996, the amount of the income earned, or gains realized.

At any time in 1996, did you receive funds or property from, or were you indebted to, a non-resident trust in which you were beneficially interested? .... 268 Yes ☐ 1 No ☐ 2

If *yes*, file Form T1142.

表 2.1 (3) 個人所得稅表

Before you mail your return, make sure you have attached here all required information slips, completed schedules, receipts, and corresponding statements.

Step 5 – Non-refundable tax credits

Basic personal amount	claim $8,456.00	300	
Age amount (if you were born in 1931 or earlier, see line 301 in the guide)		301 +	
Spousal amount (see line 303 in the guide)			
Base amount	$ 5,918 00		
Minus: Your spouse's net income	–		
Spousal amount (if negative, enter "0") **(maximum claim $5,380)**	=	▶ 303 +	
Equivalent-to-spouse amount (attach a completed Schedule 5)	**(maximum claim $5,380)**	305 +	
Amounts for infirm dependants age 18 or older (attach a completed Schedule 6)		306 +	
Canada or Quebec Pension Plan contributions			
Contributions through employment from box 16 and box 17 on all T4 slips (maximum $893.20)		308 +	•
Contributions payable on self-employment and other earnings (attach a completed Schedule 8)		310 +	•
Employment Insurance premiums from box 18 on all T4 slips (see line 312 in the guide)		312 +	•
Pension income amount (maximum $1,000; see line 314 in the guide)		314 +	
Disability amount (claim $4,233; see line 316 in the guide)		316 +	
Disability amount transferred from a dependant other than your spouse		318 +	
Tuition fees (see line 320 in the guide)		320 +	
Education amount (see line 322 in the guide)		322 +	
Tuition fees and education amount transferred from a child (see line 324 in the guide)		324 +	
Amounts transferred from your spouse (attach a completed Schedule 2)		326 +	
Medical expenses (see line 330 in the guide; attach receipts)	330		
Minus: $1,614, or 3% of line 236, whichever is less	–		
Subtotal	=		
Minus: Medical expenses adjustment (see line 331 in the guide)	331 –		
Allowable portion of medical expenses (if negative, enter "0")	=	▶ 332 +	
Add lines 300, 301, 303 to 326, and 332 (if this total is more than line 260, see line 335 in the guide)		335 =	
Multiply the amount on line 335 by 17%		= 338	
Donations and gifts (from the calculation below)		349 +	
Add lines 338 and 349. These are your **total non-refundable tax credits.**		350 =	

Donations and gifts (see lines 340 and 342 in the guide)

Charitable donations (attach receipts and information slips)			A
Calculate 50% of the amount on line 236			B
Taxable capital gains from 1996 gifts of capital property (included on line 127)			C
Capital gains deduction claimed on 1996 gifts of capital property (included on line 254)	–		D
Line C minus line D	339 =		E
Calculate 50% of the amount on line E		+	F
Total charitable donations limit (add lines B and F)		=	G
Enter the amount from line A or line G, whichever is **less**	340		
Cultural, ecological, and government gifts (see line 342 in the guide; attach receipts)	342 +		
Add lines 340 and 342.	344 =		
Enter $200 or the amount on line 344, whichever is **less**	345 –	▶ multiply this amount by 17% =	346
Line 344 minus line 345 (if negative, enter "0")	=	▶ multiply this amount by 29% =	348 +
Allowable portion of donations and gifts (add lines 346 and 348) Enter this amount on line 349 above.			=

表 2.1 (4) 個人所得稅表

Step 6 – Refund or Balance owing

Use Schedule 1, *Federal Tax Calculation*, to calculate your federal tax and your federal individual surtax.

Federal tax: If you are using **Method A** of Schedule 1, enter the amount from line 15, **or** if you are using **Method B** of Schedule 1, enter the amount from line 30 — 406

Total federal political contributions (attach receipts) — 409

Federal political contribution tax credit (from the calculation at line 410 in the guide)	410	•
Investment tax credit (attach a completed Form T2038 (IND.))	412 +	•
Labour-sponsored funds tax credit — Net cost 413 — Allowable credit	414 +	•
Add lines 410, 412, and 414.	416 =	▶ –
Federal tax before federal individual surtax (line 406 minus line 416; if negative, enter "0")	417 =	
Federal individual surtax: If you are using **Method A** of Schedule 1, enter the amount from line 18, **or** if you are using **Method B** of Schedule 1, enter the amount from line 40	419 +	
Add lines 417 and 419. This is your **net federal tax.**	420 =	
Canada Pension Plan contributions payable on self-employment and other earnings from Schedule 8	421 +	
Social benefits repayment (enter the amount from line 235)	422 +	
Provincial or territorial tax (see line 428 in the guide)	428 +	
Add lines 420 to 428. This is your **total payable.**	435 =	•

Total income tax deducted (from all information slips)	437	•
Tax transfer for residents of Quebec (see line 438 in the guide)	438 –	•
Line 437 minus line 438	=	▶ 439
Refundable Quebec abatement (see line 440 in the guide)	440 +	•
Canada Pension Plan overpayment (see line 448 in the guide)	448 +	•
Employment Insurance overpayment (see line 450 in the guide)	450 +	•
Refund of investment tax credit (attach a completed Form T2038 (IND.))	454 +	•
Part XII.2 trust tax credit (box 38 on all T3 slips)	456 +	•
Employee and partner GST rebate (attach a completed Form GST-370)	457 +	•
Tax paid by instalments (see line 476 in the guide)	476 +	•
Forward-averaging tax credit (from Form T581)	478 +	•
Provincial or territorial tax credits (see line 479 in the guide)	479 +	•
Add lines 439 to 479. These are your **total credits.**	482 =	▶ –
Line 435 minus line 482	=	

If the result is negative, you have a **refund.**
If the result is positive, you have a **balance owing.**
Enter the amount below on whichever line applies.

We do not charge or refund a difference of less than $2.

Refund 484 •

Balance owing 485 •

Amount enclosed 486 •

Attach a cheque or money order payable to the Receiver General. **Do not mail cash.** Your payment is due no later than April 30, 1997.

Direct Deposit Request see the guide for more information)

If you already use direct deposit, the service will continue.

Refund and GST credit – To start direct deposit, or to change banking information you already gave us, attach a "void" personalized cheque, **OR**, complete the area below.

702 Branch number — 703 Institution number — 704 Account number

701 ☐ **Child Tax Benefit (CTB)** – Check this box to start direct deposit of your CTB payments into the **same account** as your refund and GST credit. If you want your CTB payments directly deposited into a different account, see line 484 in the guide.

I certify that the information given on this return and in any documents attached is correct, complete, and fully discloses all my income.

Sign here

It is a serious offence to make a false return.

Area code — Telephone — Date

490 Person or firm paid to prepare this return.

Name

Address

Area code — Telephone

Do not use this area — 639 — 684

Privacy Act Personal Information Bank number RCT/P-PU-005

表 2.2 (1) 個人所得稅表：聯邦稅計算

T1-1996 **Federal Tax Calculation** **Schedule 1**

Part 1 — Taxable income

Enter your taxable income from line 260 of your return ______ 1

Part 2 — Complete ONE of the following sections

SECTION I — Complete this section if line 1 is **$29,590.00 or less**

Enter the amount from line 1			x 17% is	=	2
				Go to Part 3	

SECTION II — Complete this section if line 1 is **more than $29,590.00, but not more than $59,180.00**

Enter the amount from line 1		3			
Tax on the first	– $ 29,590 00	4	is	$ 5,030 00	5
Tax on the remaining (line 3 minus line 4)	=		x 26% is	+	6
			Add lines 5 and 6	=	7
				Go to Part 3	

SECTION III — Complete this section if line 1 is **more than $59,180.00**

Enter the amount from line 1		8			
Tax on the first	– $ 59,180 00	9	is	$ 12,724 00	10
Tax on the remaining (line 8 minus line 9)	=		x 29% is	+	11
			Add lines 10 and 11	=	12
				Go to Part 3	

Part 3 — Instructions

Use Method A, **or** Method B **but not both**, to complete the rest of this schedule.

Use Method A unless any of the following items apply to your situation, in which case, use Method B.

- tax adjustments (line 500 in the guide)
- federal dividend tax credit (line 502 in the guide)
- minimum tax carry-over (line 504 in the guide)
- overseas employment tax credit (included at line 506)
- foreign tax credit (lines 507, 508, and 511 in the guide)
- additional investment tax credit (line 518 in the guide)
- minimum tax (see page 34 in the guide)
- forward-averaging tax credit (Form T581)
- federal logging tax credit (see page 39 in the guide)

Method A (lines 13 through 18)

See the Instructions above to find out if you can use this method.

Federal tax:

Enter the amount from line 2, 7, or 12 above, whichever applies		13
Total non-refundable tax credits: Enter the amount from line 350 of your return	–	14
Federal tax: Line 13 minus line 14; if negative, enter "0" **Enter this amount on line 406 of your return.**	=	15

Federal individual surtax:

Enter the amount from line 15		x 3% is		16
Minus: $12,500	– $ 12,500 00			
Result (if negative, enter "0")	=	x 5% is	+	17
		Federal individual surtax: Add lines 16 and 17 **Enter this amount on line 419 of your return.**	=	18

Use the pink form included in your income tax package to calculate your provincial or territorial tax.
See line 428 in the guide.

5006-S1

表 2.2 (2) 個人所得稅表：聯邦稅計算

Method B (lines 19 through 40)

See the instructions on the other side to find out if you have to use this method.

Federal tax:

Enter the amount from line 2, 7, or 12, whichever applies			19
Tax adjustments (see line 500 in the guide) Specify:	500 +		• 20
Add lines 19 and 20	=		21

Total non-refundable tax credits: Enter the amount from line 350 of your return			22
Federal dividend tax credit: Calculate 13.33% of the amount on line 120 of your return	502 +		• 23
Minimum tax carry-over (see line 504 in the guide)	504 +		• 24
Add lines 22, 23, and 24	=	▶ –	25
Basic federal tax: Line 21 minus line 25.	506 =		26

Federal foreign tax credit: (see lines 507 and 508 in the guide)
Make a separate calculation for each foreign country.

Income tax or profits tax paid to a foreign country 507 ______ • 27

Net foreign income * 508 ______ / Net income ** ______ X (Basic federal tax ***) ______ = ______ 28

* Reduce your net foreign income by any foreign income exempt under a tax treaty (included on line 256). If this amount is more than your Net income**, enter your (**Basic federal tax*****) on line 28.

** Net income (line 236) (or if you filed a Form T581 election, use line 8 of that form; if negative, enter "0") minus any capital losses of other years allowed (line 253), employee home relocation loan deduction (line 248), stock option and shares deductions (line 249), other payments deduction (line 250), capital gains deduction (line 254), and any foreign income exempt under a tax treaty, and net employment income from a prescribed international organization (included on line 256).

*** Add to your Basic federal tax (line 506) any dividend tax credit (line 502) and subtract any refundable Quebec abatement (line 440), and any tax adjustments for CPP/QPP disability benefits for previous years (included on line 500).

Enter the amount from line 27 or line 28, whichever is less	–	29
Federal tax: Line 26 minus line 29; if negative, enter "0" **Enter this amount on line 406 of your return.**	=	30

Federal individual surtax:

Enter the amount from line 26 above		31
Federal forward-averaging tax credit (attach a completed Form T581)	–	32
Line 31 minus line 32; if negative, enter "0"	=	33

Enter the amount from line 33		x 3% is		34
Minus: $12,500	– $ 12,500 00			
Result (if negative, enter "0")	=	x 5% is	+	35
		Add lines 34 and 35	=	36
Additional federal foreign tax credit from Part II of Form T2209		511	–	37
		Line 36 minus line 37; if negative, enter "0"	=	38
Additional investment tax credit from section II of Form T2038 (IND.)		518	–	39
		Federal individual surtax: Line 38 minus line 39; if negative, enter "0" **Enter this amount on line 419 of your return.**	=	40

Use the pink form included in your income tax package to calculate your provincial or territorial tax. See line 428 in the guide.

表 3.1　NR4 支付非居民款項報表（範例）

NR4
Supplementary - Supplémentaire

10 Year / Année	11 Recipient Type / Code du bénéficiaire	12 Country Code / Code du pays	Payer or Remitter Identification Number / Numéro d'identification du payeur ou de l'agent payeur	Account Number / Numéro de compte	13 Foreign Social Security Number / Numéro de sécurité sociale à l'étranger
19 96	1	TWN			091 123 321

Line / Ligne	14 Income Code / Code de revenu	15 Currency Code / Code de devise	16 Gross Income / Revenu brut	17 Non-Resident Tax Withheld / Impôt retenu des non-résidents	18 Exemption Code / Code d'exemption
1			10,000	2,500	
2	24	25	26	27	28

Non-Resident Recipient - Bénéficiaire non résidant

ABC
7210 - 14th Ave
Burnaby, BC　V6B 1H3

Name and Address of Disbursing Agent or Payer
Nom et adresse du payeur ou de l'agent payeur

Revenue Canada　Revenu Canada

STATEMENT OF AMOUNTS PAID OR CREDITED TO NON-RESIDENTS OF CANADA
ÉTAT DES SOMMES PAYÉES OU CRÉDITÉES À DES NON-RÉSIDENTS DU CANADA

To be kept by payer or disbursing agent
(See information on reverse)
À conserver par le payeur ou l'agent payeur
(Voir les indications au verso)　4

表 3.2　T5 投資所得報表（範例）

THE TORONTO-DOMINION BANK　LA BANQUE TORONTO-DOMINION　Name and Address of Payer / *Nom et adresse du payeur*

TD PACIFIC MORTGAGE CORPORATION
TD BANK CONTACT BR/SUCC-RESSOURCE TD
10320 152ND STREET
SURREY BC V3R 4G8

Year / *Année*	Currency Code / *Code de devise*	Account Number / *Numéro de compte*
1996	CAD	92768029673

10 Actual Amount of Dividends / *Montant réel des dividendes*	11 Taxable Amount of Dividends / *Montant imposable des dividendes*	12 Federal Dividend Tax Credit / *Crédit d'impôt fédéral pour dividendes*	13 Interest from Canadian Sources / *Intérêts de source canadienne*	15 Foreign Income / *Revenus étrangers*	16 Foreign Tax Paid / *Impôt étranger payé*
			156.28		

Recipient Surname First and Full Address
Bénéficiaire: Nom de famille d'abord, et adresse complète
MR AAA CHEN
MRS BBB CHEN
12-136th AVE
SURREY BC
V4N 1V7

21 Report Code / *Code de genre de feuillet*	22 Social Insurance Number / *Numéro d'assurance sociale*	23 Recipient Type / *Genre de bénéficiaire*
0	729-333-119	2

TD TERM DEPOSIT/GIC
DEPOT A TERME/CPG TD

For Recipient - Keep this slip for your records
Pour le bénéficiaire - Conserver pour vos dossiers　3

Revenue Canada　Revenu Canada　T5 Rev. 96 Supplementary / *Supplémentaire*

STATEMENT OF INVESTMENT INCOME
ÉTAT DES REVENUES DE PLACEMENTS
(See information on reverse - *Voir les indications au verso*)　RC 96-419

表 3.3 T5008 証券交易報表（範例）

THE TORONTO-DOMINION BANK LA BANQUE TORONTO-DOMINION
Name and Address of Trader or Dealer in Securities
Nom et adresse du négotiant ou courtier en valeurs

GUILDFORD PLACE
103206152ND STREET
SURREY BC V3R 4G8
(604) 586-2055

Year - *Année*	10 Report Code *Code de genre de feuillet*	11 Recipient type *Genre bénéficiaire*	12 Social Insurance Number *Numéro d'assurance sociale*
1996	0	2	729 - 333 - 119

Copy 3: For recipient - Keep this slip for your records (SEE INFORMATION ON REVERSE)
Copie 3: Bénéficiaire Conserver pour vos dossiers (VOIR LES RENSEIGNEMENTS AU VERSO)

Recipient's Name and Address - *Nom et adresse du bénéficiaire*
SURNAME (PRINT) *NOM DE FAMILLE (EN LETTRES MOULÉES)* — First Name and Initials *Prénom et initiales*

MR AAA CHEN
MRS BBB CHEN
10-18th AVE
SURREY BC
V4N 1V7

9276311437100

Revenue Canada Revenu Canada
T5008 Rev. 95 Supplementary *Supplémentaire*
STATEMENT OF SECURITIES TRANSACTIONS
ÉTAT DES OPÉRATIONS SUR TITRES
RC 95-425

	13 Date - *Date* DD/MM-JJ/MM	14 Face amount *Valeur nominale*	15 Cost or book value (if known) *Coût ou valeur comptable (s'il a lieu)*	16 Securities received on settlement (if applicable) *Titres reçus en guise de règlement (s'il a lieu)*	17 Foreign tax paid *Impôt étranger payé*	18 Quantity of securities *Quantité de titres*	19 Identification of securities *Désignation de la valeur*	20 Proceeds of disposition or settlement amount *Produits de disposition ou paiements*
1	25 1	11000	10834			DOB 1	GOVERNMENT OF CANADA TBILL JAN 25, 1996	11000 CAD
2	15 2	23000	22717			DOB 1	GOVERNMENT OF CANADA TBILL FEB 15, 1996	23000 CAD
3	1 12	5000	4886			DOB 1	GOVERNMENT OF CANADA COUPON DEC 01, 1996	5000 CAD
4								
5								
6								
Page 1 of *de* 1							TOTALS *TOTAUX*	39000

表 4.1 T776 房地產租金表（範例）

Name of taxpayer	Social Insurance Number	Printed
... AAA LEE		09/12/1996

T776-Statement of Real Estate Rentals

Name of Business:
GST Number
Business No.
For the period 01/09/95 to 31/12/95

INCOME

Number	Address of property — Avenue, boulevard, street, box	Number of units	Gross rents
1525	... 52th Ave	1	9,200 00

City, town	Province	Postal code
NORTH VANCOUVER	BC	

Other related income: +

Subtotal 8124 = 9,200 00

EXPENSES	Code	Total expenses	Personal use
Property taxes	8221	215 00	
Maintenance and repairs	8215	1,304 04	
Interest	8214	6,121 43	
Insurance	8213		
Light, heat and water	8225	136 00	
Advertising	8204		
Management and adm. fees	8216		
Motor vehicle expenses (without CCA)	8218		
Office expenses	8219		
Professional fees	8220		
Salaries (incl. employer's contr.)	8223		
Travel	8224		
Total of expenses	=	7,776 47	8242

%

Total of expenses			7,776 47
Net income before capital cost allowance	8237	=	1,423 53
Co-ownership:			
Share of the co-owner	50 00 %	=	711 77
Less : Other expenses of the co-owner		-	
Subtotal		=	711 77
Add : Recapture		+	
Less: Terminal loss		-	
Less: Capital cost allowance	8207	-	
Net income from real estate rentals	8243	=	711 77
Partnership:			
If Partnership, your share	%	=	
Less: Other expenses of the partner		-	
Net income (loss) from real estate	8243	=	

CanTax

表 4.2　T2091 財產指定爲主要住宅

Revenue Canada Taxation　Revenu Canada Impôt

DESIGNATION OF A PROPERTY AS A PRINCIPAL RESIDENCE

T2091(E) Rev. 91

NAME OF TAXPAYER (Please print)	Social Insurance Number or Trust Account Number
PRESENT ADDRESS	
Particulars of Property Designated	

DESIGNATION BY AN INDIVIDUAL OTHER THAN A PERSONAL TRUST

I hereby designate the property described above to have been my principal residence for _______ taxation years before January 1, 1982, and ______ taxation years after December 31, 1981.

I hereby confirm that no other housing unit, leasehold interest or share has been so designated by me for those years before January 1, 1982.

I also hereby confirm that no other housing unit, leasehold interest or share has been so designated for those years after December 31, 1981 by me, by a person who was throughout those years my spouse (other than a spouse living apart from me, and separated from me pursuant to a judicial separation or written separation agreement), by any child of mine who was throughout those years under 18 and unmarried or by a personal trust of which my spouse, any child of mine who was throughout those years under 18 and unmarried or I was a specified beneficiary. For any taxation year for which I am designating the property and throughout which I was under 18 and unmarried, I confirm that no other property was designated by my mother, father or any of my brothers and sisters who were under 18 and unmarried throughout the year.

DATE	SIGNATURE

DESIGNATION BY A PERSONAL TRUST

The property described above is hereby designated to be the principal residence of the trust for _______ taxation years before January 1, 1982 and ________ taxation years after December 31, 1981.

I hereby confirm that no other housing unit, leasehold interest or share has been so designated by the trust for those years before January 1, 1982.

I also hereby confirm that no other housing unit, leasehold interest or share has been so designated for those years after December 31, 1981 by the trust, by a specified beneficiary of the trust, by a person who was throughout those years the spouse of a specified beneficiary (other than a spouse living apart from, and separated pursuant to a judicial separation or written separation agreement from the specified beneficiary), or by any child of a specified beneficiary who was throughout those years under 18 and unmarried or by the mother, father or any of the brothers or sisters who were under 18 and unmarried of a specified beneficiary who was under 18 and unmarried throughout the year the property is being designated.

I also confirm that no beneficial interest in the trust was held by a partnership or a corporation (other than a registered charity) at any time in the years the property is being designated as a principal residence. If the trust is an inter vivos trust (other than one described in subsection 73(1)), I also confirm that the property being designated (or the property for which it was substituted) was contributed to the trust by an individual and that either the individual (or the individual's spouse or former spouse) is a specified beneficiary of the trust for the year or no beneficial interest in the trust was held at any time in the year by the individual (or the spouse or former spouse).

DATE	SIGNATURE

SPECIFIED BENEFICIARIES

Beneficiary's Name	Address	Name of Spouse or Child Parent, Brother or Sister	Social Insurance Number	Years Property Designated

Privacy Act Personal Information Bank Number RCT/P-PU-005 or RCT/P-PU-015　(Cette formule est disponible en français)

Form authorized by the Minister of National Revenue

表 4.3 NR6 收受租金之非居民申報所得稅責任之承擔

Revenue Canada Revenu Canada

NR6
Rev. 93

UNDERTAKING TO FILE AN INCOME TAX RETURN BY A NON-RESIDENT RECEIVING RENT FROM REAL PROPERTY OR RECEIVING A TIMBER ROYALTY

FOR TAXATION YEAR 1996

Note: Subsection 216(1) of the Income Tax was recently amended. The period for filing the return of income referred to in this undertaking is now limited to six months from the end of the taxation year during which the undertaking was filed.

NAME OF NON-RESIDENT (IF INDIVIDUAL, SURNAME FIRST) (PRINT)	DATE OF BIRTH	DAY: 03	MONTH: 01	YEAR: 49
YANG				
GIVEN NAMES: KK CHEN	* FISCAL YEAR END			
ADDRESS OF NON-RESIDENT: C/O 2819 WEST 30TH AVENUE VANCOUVER, B.C. V6S 1X2	INDIVIDUAL I.D. NUMBER	T.I.N. OR S.I.N. 091 195 057		
COUNTRY OF RESIDENCE: TAIWAN	CORPORATION NUMBER			

* For corporations, estates and trusts, please enter their fiscal year end.

ADDRESS OF RENTAL PROPERTIES	** GROSS RENTS	** EXPENSES	** NET INCOME
4421 PPEENNR ROAD, RMD B.C.	12,000.00	3,870.00	8,130.00
TOTAL	12,000.00	3,870.00	8,130.00

** Please provide a breakdown of expenses. For each non-resident who is a member of a partnership, report only their share of the gross rents, expenses and net income. Also, note that the Capital Cost Allowance is deductible only upon filing the prescribed Income Tax Return.

NAME OF CANADIAN AGENT		REMITTANCE ACCOUNT NUMBER	NRQ040392
ABC			
ADDRESS OF CANADIAN AGENT: 2819 WEST 36TH AVENUE		DATE FIRST RENTAL PAYMENT DUE	01/01/1996
CITY: VANCOUVER, B.C.	POSTAL CODE: V6S 3X2	TELEPHONE NUMBER	504 273 7088

UNDERTAKING BY NON-RESIDENT

I hereby undertake to file the prescribed Income Tax Return for the above-noted year(s) within six months from the end of the taxation year and to include all rents from my real property and/or timber royalties and to pay any additional tax owing as the result thereof. (Note: A separate Income Tax Return must be filed for each non-resident who is a member of a partnership.)

Date ________ Signature of Non-Resident ________

UNDERTAKING BY AGENT

I hereby undertake, should the Non-Resident fail to file a return and pay the tax in accordance with the above undertaking, to pay to the Receiver General, the full amount that I would otherwise have been required to remit in the year minus the amounts that I have remitted in the year in compliance with the provisions of paragraph 216(4)(a) of the Income Tax Act.

Date ________ Signature of Agent ________

Page 1 of 1

CanTax

表 4.4　T2062 非居民處置或計劃處置應課稅加拿大財產通知

Revenue Canada Taxation　Revenu Canada Impôt

T2062(E) Rev. 92

NOTICE BY A NON-RESIDENT OF CANADA CONCERNING THE DISPOSITION OR PROPOSED DISPOSITION OF TAXABLE CANADIAN PROPERTY

- For use by a non-resident of Canada to advise that the non-resident (a) has disposed of or (b) proposes to dispose of certain "Taxable Canadian Property". Taxable Canadian property is property described in paragraph 115(1)(b) of the Income Tax Act.
- A separate notice is required for each actual or proposed disposition. Where several properties are either proposed to be disposed of or are actually disposed of, to the same purchaser at the same time, only one notice is required for the entire disposition.
- A separate T2062 must be filed by each person indicating an interest in a joint tenancy, tenancy in common or co-ownership.
- Where a T2062 and a T2062A are required in respect of a disposition to the same purchaser the forms should be filed together. Refer to item 2 on the reverse of copy 5.

Check (√) purpose for this notice

☐ Proposed disposition, attach a copy of the Offer to Purchase.

☐ Actual disposition, attach a copy of the Sale Agreement and Statement of Adjustments or a copy of the filed T2057 or T2058 election forms and the Transfer Agreement where a section 85 election is applicable.

☐ Inter-vivos gifting of property, attach documentation to support fair market value.

Provide full address, including as applicable street address, post office box, city, state, country and mail code.
(Refer to item 4 on the reverse of copy 5 for details concerning the requested identification numbers.)

Name of Non-Resident in Full (print)	Date of Birth D M Y	Date of Departure from Canada D M Y

Present Address of Non-Resident	(Canadian) Social Insurance Number
	Individual Non-Resident or Corporation Account Number
Person to Contact for Information – Name and Address (See NOTE on reverse of Copy 5)	Telephone

Purchaser – Name and Address	Telephone	Purchaser Corporation Account Number

1. Is the disposition subject to an election under section 85? ☐ YES ☐ NO
   If "YES", indicate the date of filing of section 85 election form ▷ ______ and the District Taxation Office where it was filed ▷ ______
2. Have you previously filed a T2062 or T2062A in the current calendar year? ☐ YES ☐ NO
   If "YES", specify the District Taxation Office(s) where the notice(s) were filed. ▷ ______
   Indicate Name and address of purchaser ▷ ______
3. If the property has been rented or leased at any time complete the following:
   ☐ YES, non-resident tax has been deducted. Name and address of person who deducted the tax is ______
   ☐ NO, non-resident tax has not been deducted. The property was rented from ______ (day, month, year) to ______ (day, month, year) (Attach rental statements for period specified.)
4. Do you hold or contemplate holding a mortgage as a result of the disposition? ☐ YES ☐ NO
5. Indicate when and where you last filed a Canadian Income Tax return, if applicable ▷ Year ______ City ______ Province ______
6. Is the disposition to a person by way of gift inter vivos or to a person with whom you are not dealing at arm's length? If "YES" and the disposition is at less than fair market value enter fair market value at the time of disposition in Column (4) below. ☐ YES ☐ NO

PARTICULARS OF PROPERTY

(1) Date or Proposed Date of Disposition	(2) Vendor's Acquisition Date	(3) Description – Refer to item 3 on the reverse of Copy 5	(4) Estimated or Actual Amount of Proceeds of Disposition	(5) Adjusted Cost Base	(6) Gain or (Loss) Column (4) Less Column (5)
			$	$	$
				Net Gain or (Loss)	$
				Payment on Account of Tax on Net Gain calculated above (1988 and 1989 calendar year – 30%)	$
				(1990 and subsequent years – 33 1/3%)	$

USE A SEPARATE LINE FOR EACH TYPE OF PROPERTY – ATTACH A SCHEDULE IF SPACE IS NOT SUFFICIENT

Attachments: If applicable the following should accompany the completed notice. Indicate which have been attached.

☐ Schedule(s) where space is insufficient.
☐ Cheque or money order payable to the Receiver General.
☐ Sale Agreement, Statement of Adjustments, or Transfer Agreement.
☐ List of names and addresses of all members where the property is held as a joint tenancy, tenancy-in-common or co-ownership.
☐ Offer to Purchase or Purchase Agreement
☐ Evidence that security has been provided which is acceptable to the Department.
☐ Copy of section 85 election form T2057 or T2058.
☐ Documentation to support fair market value in respect of a section 85 election, a gift inter vivos or a non-arm's length transfer at less than fair market value
☐ Calculation of Adjusted Cost Base
☐ A T2062A which is being filed simultaneously with the T2062
☐ Notice in respect of section 115.1 election (T2024)

CERTIFICATION

I, ______ (Print Name) of ______ (Address)

hereby certify that the information given in this notice and in any documents attached, is true, correct and complete in every respect.

______ Date　　______ Signature of non-resident or, if applicable, authorized person

表 5.1 公司年報（範例）

Province of British Columbia — Ministry of Finance and Corporate Relations

CORPORATE AND PERSONAL PROPERTY REGISTRY
2nd Floor - 940 Blanshard Street
Victoria, British Columbia, V8W 3E6
Telephone: (604)356-8626
Hours: 8:30 - 4:30 Monday to Friday

ANNUAL REPORT

FORM 18
Sections 356 and 357
COMPANY ACT

Please check this form for any errors or omissions
(Instructions on reverse)

Filing Fee $35.00 Page 1 of 1

A COMPANY NAME AND B REGISTERED OFFICE ADDRESS

CHEN INDUSTRIAL LTD.
123 ABC AVE.
BURNABY, B.C. V5E 3G1

C CERTIFICATE OF INCORPORATION NUMBER
124055

D DATE OF INCORPORATION
NOVEMBER 10, 1994

E IS THIS A REPORTING COMPANY?
NO

F DATE OF ANNUAL REPORT
NOVEMBER 10, 1995

FILED AND REGISTERED STAMP
OFFICE USE ONLY - DO NOT WRITE IN THIS AREA

G Has there been a change of registered or records office address?
☐ YES ☒ NO
See reverse for instructions

H Has there been a change of directors?
☐ YES ☒ NO
See reverse for instructions

I DIRECTORS

SURNAME	GIVEN NAMES	RESIDENTIAL ADDRESS / CITY / PROVINCE	POSTAL CODE
KA	HEN-CHUNG	123 ABC AVE. BURNABY, B.C.	V5E3G1
KA	TE-HUI	123 ABC AVE. BURNABY, B.C.	V5E3G1

J OFFICERS: EVERY COMPANY MUST HAVE A PRESIDENT AND SECRETARY (SEE REVERSE)

PRESIDENT			
KA	HEN - CHUNG	123 ABC AVENUE, BURNABY, B.C.	V5E 3G1
SECRETARY			
KA	TE-HUI	123 ABC AVENUE, BURNABY, B.C.	V5E 3G1

K CERTIFIED CORRECT - Signature of a current Director, Officer, or Company Solicitor

PRESIDENT — Hen Ka

DATE SIGNED (Y M D): 95 11 02

06464621 AR BC/0484055

FIN718/A Rev.95 / 1 / 19

4-3

表 5.2 (1) 符合資格公司所得稅 T2 簡表

Revenue Canada Taxation / Revenu Canada Impôt

T2 Short for eligible corporations
(1991 and later taxation years)

On this return we refer you to Guide items. You will find this information in the 1991 *T2 Corporation Income Tax Guide*.

Send or hand-deliver one copy of this completed return to your district taxation office, or mail it to the taxation centre that serves you. To be on time, you have to file the return within six months of the end of the corporation's taxation year. See Guide items 1 to 5 for information on filing T2 returns.

For departmental use

Name of corporation (print) (Guide item 12)
ABC

Account number (Guide item 12)

Address of head office (Guide item 13)

City and province or territory — Postal code

Mailing address (if different from head office address) (Guide item 13) 1 ☐

c/o

City and province or territory — Postal code

Location of books and records
Address

City and province or territory — Postal code

Name of person to contact

Telephone number — Area code

Return for taxation year (Guide item 17)

2 From ___ 19 ___ to ___ 19 ___
Day Month Year — Day Month Year

Does the taxation year begin and end on the same dates as last year?
Yes ☐ No ☐

If no, why has the taxation year changed? (If the reason is an acquisition of control, please give the date control was acquired.)

Is this the first year of filing? (Guide items 15 and 16)
Yes ☐ No ☐

If yes, provide the date of incorporation or amalgamation, as it applies.

Date of incorporation ___ 19 ___ (*Day Month Year*) — *Date of amalgamation* ___ 19 ___ (*Day Month Year*)

Is this the final taxation year before amalgamation? (Guide item 16) Yes ☐ No ☐

Is this the final return up to dissolution? (Guide item 1) Yes ☐ No ☐

Type of corporation at the end of the taxation year (Guide item 18)

1 ☐ Canadian-controlled private corporation
4 ☐ tax-exempt corporation

If a tax-exempt corporation, is it
☐ a non-profit club, society or association?
☐ an agricultural organization, a board of trade, or a chamber of commerce?
☐ another kind? (please specify)

Did the type of corporation change during the taxation year?
2 Yes ☐ 1 No ☐

If yes, specify change.

What is the corporation's major business activity? (Guide item 20)
(Please indicate if the corporation is inactive.)

Has the major business activity changed since the last return was filed?
2 Yes ☐ 1 No ☐

If the major activity involves the resale of goods, indicate whether it is
wholesale ☐ or retail ☐

Specify the [illegible]s) mined, manufactured, sold, constructed, or services provided, giving the approximate percentage of the total revenue that each product or service represents.

1. Inactive ___ %
2. ___ %
3. ___ %

For income tax purposes, the corporation has a (Guide item 36)
☐ nil net income, or a
☐ loss of .... 111 (NIL)

Province or territory of residence (Guide item 90) 137

Instalments paid (Guide item 103)......... 145

If there are excess payments in this year's instalment account, please indicate whether they should be

161
1 ☐ refunded,
2 ☐ transferred to next year's account, or
3 ☐ applied to another liability. (attach instructions)

Language of correspondence
Please indicate the language of your choice.

Langue de correspondance
Indiquez la langue de correspondance de votre choix.

1 English/Anglais ☐ — 2 Français/French ☐

Cette formule est disponible en français.

表 5.2 (2)　符合資格公司所得稅 T2 簡表

What should you attach to this return?

Guide item 3

Depending on the circumstances, you may need to attach some of the following to this return:

- Form T2A, *Request For Loss Carry-back*, if you want to carry back this year's loss to any of the three previous taxation years (see Guide item 57)
- Schedule T2S(1), *Reconciliation of Net Income*, if the net income or loss recorded on the attached income and expense statement is different from the amount for tax purposes (see Guide item 36 - you can use the sample schedule provided on the back of the covering page)
- Schedule T2S(6), *Summary of Dispositions of Capital Property*, if the corporation disposed of any capital property (see Guide item 37)
- Schedule T2S(8), *Capital Cost Allowance*, if you are claiming capital cost allowance on depreciable property (see Guide item 38 - you can use the sample schedule provided on the back of the covering page)
- Schedule T2S(8)(A), *Cumulative Eligible Capital Deduction*, if you are claiming a cumulative eligible capital deduction on qualifying expenditures
- Schedule T2S(9), *Related Corporations*, if the corporation is related to any other corporation(s) (see Guide item 23)
- Schedule T2S(11), *Transactions with Shareholders, Officers, and Employees*, if the corporation had transactions with its shareholders, officers, or employees that were outside the normal course of business (see Guide item 24)
- Schedule T2S(13), *Continuity of Reserves*, if the corporation is carrying any reserves (see Guide item 41)
- Schedule T2S(14), *Miscellaneous Payments to Residents*, if the corporation paid any royalties, management fees, or other similar payments to residents of Canada (see Guide item 26)
- Schedule T2S(15), *Deferred Income Plans*, if the corporation deducted payments to a registered pension plan (RPP), a registered supplementary unemployment benefit plan (RSUBP), a deferred profit sharing plan (DPSP), or an employee profit sharing plan (EPSP) (see Guide item 27)
- Form T2013, *Agreement Among Associated Corporations*, if the corporation is associated with any other Canadian-controlled private corporations that are claiming the small business deduction (see Guide item 21)

Payroll Information

Total remuneration including salaries, wages, bonuses, and commissions paid to employees during the taxation year (do not include management salaries included below, or employee benefits) ________ | ____

Total management salaries (including bonuses and directors' fees) paid during the taxation year to corporate owners acting as officers, directors, etc. ________ | ____

Shareholder Information

Please provide the following information on the shareholders that hold the most voting shares.

Name of shareholder	Social insurance or account number	% of voting shares held
		%
		%
		%

Certification

I, ______________________________ , of ______________________________
(Name in block letters) (Address)

am an authorized signing officer of the corporation.

I certify that I have examined this return, including accompanying schedules and statements, and that it is a true, correct, and complete return. I further certify that the method of calculating income for this taxation year is consistent with that of the previous year except as specifically disclosed in a statement attached to this return.

________________ ______________________________ ________________
Date　Signature of an authorized signing officer of the corporation　Position, office, or rank

表5.3　公司登記証書（範例）

CITY OF VANCOUVER
PERMITS AND LICENSES DEPARTMENT
CITY HALL - EAST WING 453 W. 12th AVENUE V5Y 1V4
TELEPHONE 873-7568

ACCOUNT NO. 18513
DATE 02/15/95
LICENSE NO. 22256

LILLY CHING-PENG CHEN, CGA
280-3316 KINGSWAY
VANCOUVER BC
V5R 5K7

1995 LICENSE

EXPIRES DECEMBER 31st, 1995

THE ABOVE NAMED, HAVING PAID THE UNDERNOTED FEES, IS HEREBY LICENSED TO CARRY ON THE BUSINESS, TRADE, PROFESSION OR OTHER OCCUPATION STATED HEREIN. THIS LICENSE IS ISSUED SUBJECT TO THE PROVISIONS OF ALL BY-LAWS OF THE CITY OF VANCOUVER NOW OR HEREAFTER IN FORCE AND TO ALL AMENDMENTS THAT MAY HEREAFTER, DURING THE CURRENCY OF THIS LICENSE, BE MADE TO SAID BY-LAWS. IN ISSUING THIS LICENSE THE CITY DOES NOT REPRESENT OR WARRANT COMPLIANCE WITH OTHER CITY OF VANCOUVER BY-LAWS. THE LICENSEE IS RESPONSIBLE FOR ENSURING COMPLIANCE WITH ALL RELEVANT BY-LAWS OF THE CITY.

BUSINESS - TRADE - PROFESSION OR OTHER OCCUPATION	DIVISION	NUMBER	FEES PAID
DBA LILLY C P CHEN ACCOUNTING FIRM ACCOUNTING & AUDITOR	001		

THIS LICENCE MUST BE POSTED IN A CONSPICUOUS PLACE UPON THE LICENSED PREMISES AND IS VALID AT THIS ADDRESS ONLY

LICENSE FEE PAID $77.00

25388

THIS IS NOT A BILL
DO NOT PAY

P & L 1021 R10-94

表 5.4　營業執照（範例）

Number: 120612

COMPANY ACT

Canada
Province of British Columbia

Certificate of Incorporation

I Hereby Certify that

CHEN ENTERPRISES LTD.

has this day been incorporated under the *Company Act*

Issued under my hand at Victoria, British Columbia
on February 16, 1995

JOHN S. POWELL
Registrar of Companies

表 5.5　T106 非居民關聯性交易之公司資訊呈報表格（範例）

Revenue Canada　Revenu Canada

CORPORATE INFORMATION RETURN OF NON-ARM'S LENGTH TRANSACTIONS WITH NON-RESIDENT PERSONS
(Please refer to the instructions before completing this return.)

T106(E) Rev. 95

There are penalties for failure to file this return. Refer to the instructions for information.

PART I – REPORTING CORPORATION INFORMATION

This return relates to the income tax return of:

1. Name and address of corporation
   ABB INTERNATIONAL TRAVEL SERVICE Co. Ltd.
   41-326 th Rd., Richmond, BC V6X 2C2

2. Corporation account number: ______ or Business Number (BN): 129135586 RC

Office Use — T.S.O.

3. Taxation year ended (Day/Month/Year): 29 02 96
4. Gross revenue: $ 703,446

Complete a separate return for each non-resident person the corporation had non-arm's length transactions with during the year. Attach separate schedules for PARTS II and III if you need more space.

5. Specify the principal business activities by entering the appropriate standard industrial code(s) from the list in the instructions.
   Standard industrial code(s): (1) 9960 (2) ____ (3) ____ (4) ____
6. Are any of the amounts (e.g. income, deductions, foreign tax credits) claimed by the reporting corporation in the current taxation year affected by any completed, outstanding or anticipated requests for competent authority assistance? Yes ☐ No ☑
7. Are any of the amounts (e.g. income, deductions, foreign tax credits) claimed by the reporting corporation in the current taxation year adjusted to reflect an assessment or a proposed assessment by a foreign tax administration? Yes ☐ No ☑
8. Are the transfer pricing methodologies used by the reporting corporation governed by an Advanced Pricing Agreement, arrangement, or similar understanding or undertaking between the reporting corporation and Revenue Canada regarding the non-resident? Yes ☐ No ☑
9. Are the transfer pricing methodologies used by the reporting corporation predicated on an Advanced Pricing Agreement, arrangement, or similar understanding or undertaking between the non-resident and a foreign tax administration? Yes ☐ No ☑
10. Has the reporting corporation filed the appropriate NR4, NR4A, T4, T4A or T4A-NR return(s) for the transactions (*) in Part III? Yes ☐ No ☑
    If "YES", specify the related identification or account number(s): (1) ______ (2) ______
11. Is this the first time that the reporting corporation has filed form T106? Yes ☑ No ☐
    If no, please indicate the last taxation year that the reporting corporation filed form T106. Year ____
12. Total number of T106 returns filed by the reporting corporation for this taxation year. 001

PART II – NON-RESIDENT PERSON INFORMATION

1. Name and address of the non-resident and country of residence (Enter the appropriate country code from the list in the instructions.)
   ACE Travel Service Co., Ltd
   45, Sec 3, BEKAED East Rd., Taipei, Taiwan
   Country code: TWN
2. Type of relationship: ☐ Controlled by reporting corporation ☐ Controls reporting corporation ☑ Other
3. Specify the principal business activities for the non-resident by entering the appropriate standard industrial code(s) from the list in the instructions.
   Standard industrial code(s): (1) 9960 (2) ____ (3) ____ (4) ____
4. Specify the principal countries where the non-resident derives income by entering the appropriate country code(s) from the list in the instructions.
   Country codes: (1) TWN (2) ____ (3) ____ (4) ____ (5) ____ (6) ____ (7) ____ (8) ____
5. For a non-resident controlled by the reporting corporation and resident in a non-treaty country, attach the most recent financial statements of the non-resident. (Refer to the instructions.) N/A　Attachments: Yes ☐ No ☐

PART III – TRANSACTIONS BETWEEN REPORTING CORPORATION AND NON-RESIDENT PERSON

Indicate in the appropriate box the monetary consideration (in Canadian dollars) derived or incurred in respect of the following transactions with the non-resident person. Also indicate in the appropriate box the method used to establish transfer prices with reference to the transfer pricing methodology (TPM) from the list in the instructions.

If the transactions to be reported are less than $25,000, in total, tick the box to the right and proceed to Part IV. ☐

	Sold	TPM	Purchased
Tangible Property			
– Stock in trade/raw materials	$ NIL		$ NIL
– Other (Specify)	$ NIL		$ NIL
Rents, Royalties and Intangible Property	**Revenue**	**TPM**	**Expenditure**
– * Rents	$ NIL		$ NIL
– * Royalties (e.g., use of patents, trademarks, secret formulas, know-how, etc.)	$ NIL		$ NIL
– * License or franchise fees	$ NIL		$ NIL
– Intangible property and/or rights (acquired or disposed of)	$ NIL		$ NIL
Services			
– * Managerial, financial, administrative, marketing, training, etc.	$ NIL		$ NIL
– * Engineering, technical, research and development, construction, etc.	$ NIL		$ NIL
Financial			
– * Interest	$ NIL		$ NIL
– * Dividends (common, preferred, stock, deemed, etc.)	$ NIL		$ NIL
Other			
– * Commissions	$ NIL		$ NIL
– * Other (Specify):	$ 703,446	1	$ NIL

PART IV – LOANS, ADVANCES, ETC., OUTSTANDING

	Beginning balance	Ending balance
– Amounts borrowed or advanced, including accounts payable	$ NIL	$ NIL
– Amounts loaned or advanced, including accounts receivable	$ NIL	$ NIL
Investment in non-resident person (cost basis)	$ NIL	$ NIL

PART V – NON-MONETARY OR NIL CONSIDERATION

1. Has the corporation received from or provided to the non-resident person any non-monetary consideration for the performance of services, transfer of tangible properties, processes, rights or obligations under an exchange, swap, barter, bonus, discount or other such trade agreements? Yes ☐ No ☑
2. Has the corporation provided to the non-resident person any services, transfer of tangible properties, processes, rights or obligations, etc. for which there was nil consideration? Yes ☐ No ☑

If the answer to either of the above two questions is "Yes", provide specific details on a separate attachment.

CERTIFICATION

I, KKE EKI, certify that the information given on this form is, to the best of my knowledge, correct and complete.

Aug 31, 96	[signature]	Director	(604) 271-3381
Date	Signature of Authorized Signing Officer	Position or Rank of the Officer	Telephone Number

Form authorized and prescribed by order of the Minister of National Revenue.　(Ce formulaire est disponible en français.)

表 6.1 (1)　NR73：居民身份之確定（離開加拿大）

Revenue Canada　Revenu Canada

NR73(E) Rev. 95

DETERMINATION OF RESIDENCY STATUS (Leaving Canada)

- Use this form if you plan to leave or have left Canada, either permanently or temporarily. Revenue Canada will determine if you are a resident of Canada for income tax purposes.
- Mail one completed copy of this form for each taxation year in question to the International Tax Services Office, 2540 Lancaster Road, Ottawa ON K1A 1A8. If you prefer, you can send the form by fax to 613-941-2505.
- If you need help completing this form, you can get Interpretation Bulletin IT-221R2, *Determination of an Individual's Residence Status*, or call the International Tax Services Office at the following numbers:

Calls from within the Ottawa area 952-3741
Calls from other areas in Canada and the United States 1-800-267-5177
Calls from outside Canada and the United States (we accept collect calls) (613) 952-3741

Please attach any necessary additional information to this form.

1.

Surname	Usual first name and initial	Social insurance number or temporary taxation number	Taxation year
			19

Address while outside Canada

Telephone number

Mailing address (if different from above)

Citizenship

Do you want us to change our records to show this as your mailing address? ☐ Yes ☐ No

In what country will you live?

2. Date of departure - provide: day/month/year

How many months or years do you expect to be living outside Canada?

3. Which of the following applies to you?

☐ You usually live in another country and you were temporarily living in Canada for ________ days in the year, but will leave, or have left Canada during the year. (We will calculate the number of days if you give us the dates you were, or will be, in Canada.)

☐ You usually live in another country, but enter and leave Canada on the same day to work, shop, or study.

☐ You usually live in Canada, but you leave Canada during the day to work, shop, or study in another country, and return to Canada the same day.

☐ None of the above.

4. Indicate why you are leaving Canada by selecting one of the following:

☐ Employment
☐ Retirement
☐ Studying or conducting research
☐ Self-employment
☐ Professional-improvement leave
☐ Spouse of an individual leaving Canada
☐ Child or grandchild of an individual leaving Canada
☐ None of the above. Please specify. ________________

5. If you are the spouse, dependent child, or dependent grandchild of an individual who has left Canada, or will be leaving, please indicate whether your spouse, parent, or grandparent, after he or she has left Canada, will be a :

☐ Factual resident of Canada　☐ Deemed resident of Canada　☐ Non-resident of Canada

If you do not know the residency status of your spouse, parent, or grandparent, please have that individual also complete Form NR73, *Determination of Residency Status (Leaving Canada)*, and submit it with this request.

If you are the spouse of a person leaving Canada:

Are you, or were you, a resident of Canada in the current year, prior to leaving Canada? ☐ Yes ☐ No
Were you a resident of Canada in a previous year? ☐ Yes ☐ No
Will you live with your spouse at any time in the year? ☐ Yes ☐ No

If you are a dependent child or grandchild of a person leaving Canada, select one of the following that applies to you:

☐ You are under 18 years old at any time during the year.
☐ You are 18 or older and you are dependent because of a mental or physical disability.

What will your net world income be for the year? ________________

Ce formulaire existe aussi en français.

表 6.1 (2)　NR73： 居民身份之確定（離開加拿大）

6. Please complete this area if you will be employed while you live abroad.

Select the situation that applies to you.

☐ You are a missionary.

How many years will you be living outside Canada? ____________

Are you a Canadian citizen or landed immigrant? ☐ Yes ☐ No

Will you be employed by a Canadian religious organization while you are outside Canada? ☐ Yes ☐ No

Will you file a Canadian income tax return for each year you are living outside Canada and report your world income? ☐ Yes ☐ No

☐ You are a member of the Canadian Forces.

(a) ☐ You are an ambassador, a high commissioner, an agent-general of a province or territory of Canada, or an officer or servant (employee) of Canada or of a province or territory of Canada.

(b) ☐ You are an employee or officer of a Canadian Crown corporation, either federal or provincial, where

☐ the corporation is designated as an agent of Canada

☐ the employees of the corporation have been given the status of servants of Canada

☐ none of the above apply. Please explain. ____________

If either (a) or (b) apply,

Will you receive a representation allowance for the year? ☐ Yes ☐ No

Were you a factual resident or a deemed resident of Canada immediately before your appointment or employment by Canada, the province, the territory, or the Crown corporation? ☐ Yes ☐ No

☐ You are performing services as an employee, co-operant, advisor, contractor, or sub-contractor under a prescribed international development assistance program of the Government of Canada that is financed with Canadian funds. Please specify.

____

Were you a factual resident or a deemed resident of Canada at any time during the three months before the day you started your services abroad? ☐ Yes ☐ No

☐ You are a member of the overseas Canadian Forces school staff.

Will you choose to file a Canadian income tax return each year, reporting your world income? ☐ Yes ☐ No

Were you living in the province of Quebec before your departure? ☐ Yes ☐ No

☐ You are an employee of an organization other than those described above.

Provide your employer's name and address. ____________

Do you foresee a return to Canada because of a contract with an employer, or because you have a specific date to report back to work in Canada? ☐ Yes ☐ No

If you have a contract with your employer, please attach a copy of the contract.

If you do not have a contract with your Canadian employer or a return date to Canada specified by your employer, will your job be kept available for you upon your return to Canada? ☐ Yes ☐ No

7. Which of the following ties will you have in Canada while living in another country? Tick (✓) those that apply.

☐ Your spouse or common-law spouse will remain in Canada. Please provide the name, citizenship, and current address of your spouse or common-law spouse. If you are legally separated, this item will not apply to you.

____

☐ You will leave a child or a grandchild in Canada who is dependent on you for support. Please provide the child's name, age, citizenship, and current address, as well as the name and address of the school the child attends and the grade in which the child is enrolled. ____________

☐ You will continue to support a person in Canada who lives in a dwelling (a house, apartment, trailer, room, suite, etc.) that you occupied and maintained before your departure.

☐ You will continue to own a dwelling in Canada.

☐ You will sublet the dwelling in Canada that you rented for the period of your absence from Canada and you intend to renew the lease of such a dwelling when it expires.

☐ You will maintain a dwelling in Canada suitable for year-round occupancy by:

☐ keeping the dwelling vacant;

☐ renting the dwelling at non-arm's length (i.e. rented to a relative)

☐ renting the dwelling at arm's length. Please provide details with respect to the terms of the lease, termination clause, etc. ____________

☐ You will keep (by storing or renting out) your furniture, furnishings, appliances, utensils, etc., in Canada.

☐ You will have personal possessions in Canada, such as your clothing (essentially your wardrobe), personal items, pets, etc.

☐ You will keep vehicles in Canada that are registered in Canada.

☐ You will keep your Canadian driver's licence.

表 6.1 (3) NR73：居民身份之確定（離開加拿大）

- ☐ You will continue to renew your Canadian driver's licence when it expires.
- ☐ You will maintian eligibility for provincial or territorial hospitalization and medical insurance coverage for more than three months after you leave Canada. To find out whether you will be eligible for provincial or territorial medical coverage while living outside Canada, contact the provincial or territorial health authorities where you live.
- ☐ You will keep memberships in Canadian social, recreational, or religious organizations. Please list these memberships. ______
- ☐ You will keep memberships in professional associations in Canada that depend on Canadian residency. Please list these memberships. ______
- ☐ You will keep bank accounts in Canada. Please explain why you are keeping these accounts. ______
- ☐ You will use credit cards from Canadian financial institutions.
- ☐ You will have investments in Canada. Please describe these investments. ______
- ☐ You will keep a seasonal residence in Canada. (e.g. a cottage, chalet, etc.)
- ☐ You or your spouse will receive Child Tax Benefit payments, while living outside Canada. For more information about Chid Tax Benefits, contact Human Resources Development Canada at 1 800 387-1193.
- ☐ You will have a telephone service in Canada. Even if it is not listed, provide the address for your telephone service and indicate if it is a personal or business service. ______
- ☐ You will use personal stationery and business cards with a Canadian address. Provide the address you will use. ______
- ☐ You will use post office boxes and/or safety deposit boxes in Canada. Provide the addresses for these boxes. ______
- ☐ You will be involved with and have responsibilities in partnerships, corporate or business relationships, or endorsement contracts in Canada. Please specify. ______
- ☐ You will have other ties with Canada. Please describe them. ______
- ☐ None of the items in this section will apply to you.

8. Do you intend to return to Canada to live? ☐ Yes ☐ No

Please provide details of your long-term career goals. ______

9. You will make return visits to Canada. ☐ Yes ☐ No

If *yes*, state the number of return visits you will make each year, and expected aggregate duration of your stay in Canada. ______

10. The following questions about your residential ties in another country will help us provide an opinion on your residency status.

a) If your spouse (or common-law spouse) will not remain in Canada, please provide:

Spouse's name: ______ Citizenship: ______

Spouse's current address: ______

Spouse's date of departure (Day/month/year): ______

Number of months your spouse expects to live outside Canada: ______

b) If you have dependent children and your children will not remain in Canada, please provide the child's name, age, citizenship and current address, as well as the name and address of the school your child attends and the grade in which the child is enrolled. ______

c) If you have dependent children who will not remain in Canada, please provide:

Children's date of departure (Day/month/year): ______

Number of months your children expect to live outside Canada: ______

d) If you support individuals, other than through a charitable organization, provide the names and current addresses of these people and financial details of your support. ______

e) Describe the dwelling in which you will live in the other country. Include details such as address, type, size, and whether you rent or own the dwelling. If you rent the dwelling, provide the length of the time you have agreed to be a tenant. ______

f) Describe the personal possessions (clothing, furniture, personal items, pets, etc) you will have in the other country. ______

g) If you have a driver's licence issued in a country other than Canada, please state for which country it is issued, the expiry date, and whether you will renew it. ______

表 6.1 (4)　NR73：居民身份之確定（離開加拿大）

h) If applicable, provide the name of the insurer of your medical/hospitalization coverage while living outside Canada and the length of the coverage.

i) List the professional, social, recreational, or religious organizations in which you will be a member in countries other than Canada.

j) Describe the investments you will have in countries other than Canada. Include details of chequing and savings accounts, pension and retirement plans, property, and shares in companies you will have in these countries. Explain why these investments are kept outside Canada.

k) Provide details of other consumer relationships, such as lines of credit and credit cards, you will have in other countries.

l) Provide the address for your telephone service in other countries, even if it is not listed, and indicate if it is a personal or business service.

m) Provide the address you use for personal stationery and business cards in other countries, if applicable.

n) Provide the addresses for post offices boxes and/or safety deposit boxes that you use in other countries, if applicable.

o) Provide details of your involvement and responsibilities in any partnerships, corporate or business relationships, and endorsement contracts you have in other countries.

p) List the countries, other than Canada, you have visited in this calendar year, the length of time spent in each country, and the reason for visiting those countries. Include the dates of entry and departure for each country visited.

q) Are you considered to be a resident of another country? ☐ Yes ☐ No
If *yes*, we may ask you to provide a letter from that government stating that you are a resident of that country for the year in question, and that you are subject to tax in that country as a resident. We may also ask you to provide proof of your income subject to tax in the other country.

11. **Certification**

We use this form as a starting point to obtain the facts we need to provide an opinion on your residency status. Please contact us if your situation changes as your residency status could also change.

I, ______________ (please print), certify that the information given on this form is, to the best of my knowledge, correct and complete.

______________ Date　　______________ Signature

Printed in Canada

表 7.1 (1) T1135 海外財產資訊呈報表（範例）

SCHEDULE 2

Revenue Canada / Revenu Canada

INFORMATION RETURN RELATING TO FOREIGN PROPERTY T1135(E)

DRAFT

Please see the Guide for instructions on how to complete this return.
There are penalties for failing to file this return. See the Guide.
Provide all amounts in Canadian dollars.
If the reporting taxpayer is a partnership, all references to year or taxation year should be read as fiscal period.

Complete this return if the reporting taxpayer's total cost amount of foreign-based property exceeds $100,000 at any time in the year.

PART I – TAXPAYER INFORMATION

Name	Address
K. J Wong	13216 - 83rd Ave., Surrey, BC

Reporting taxpayer is ☑ an individual ☐ a corporation ☐ a trust ☐ a partnership

Social insurance number	Corporation account number or single business number	Trust account number
728 126 637		

What is the reporting taxpayer's taxation year for which this form is being filed?

From 01 01 97 (Day Month Year) To 31 12 97 (Day Month Year)

PART II – DETAILS OF FOREIGN PROPERTY

1. Funds Outside Canada

A. Identify each foreign entity that holds funds on behalf of the reporting taxpayer

Name	Address
FIRST BANK OF NEW YORK	12 Broadway St., New York, USA
HANG SENG BANK	3500 Nathan Road, 1st floor, Kowloon, Hong Kong

B. Value and yield of property

	Amount
Total amount of funds held outside Canada by foreign entities at year end on behalf of the reporting taxpayer	$ 30,000
Income earned in the year on those funds	$ 2,000
Capital gain or loss realized in the year on those funds	0

2. Shares of Non-resident Corporations

A. Shares of non-resident corporations listed on stock exchanges outside Canada which are prescribed in the *Income Tax Regulations*. See the guide.

	Total cost amount at year end	Dividends received in the year	Gain or loss realized in the year
All shares of the capital stock of non-resident corporations listed on prescribed stock exchanges outside Canada			

B. Shares of other non-resident corporations

Identify each issuing corporation		Total cost amount at year end	Dividends received in the year	Gain or loss realized in the year
Name	Country of location of head office			

3. Indebtedness

	Total principal amount at year end	Interest received in the year	Gain or loss realized in the year
All notes, bonds, debentures, or other evidence of indebtedness issued or owed by non-residents			

4. Interests in Non-Resident Trusts

	Identify trust		Identify trustee(s)	
	Name	Country under whose laws the non-resident trust is governed	Name	Address
1				
2				
3				
4				

Ce formulaire existe aussi en français.

表 7.1 (2)　T1135 海外財產資訊呈報表（範例）

	Cost amount of interest in the non-resident trust at the time of acquisition	Total amount of income distributions to taxpayer in the year	Total amount of capital distributions to taxpayer in the year	Capital gain or loss realized on disposition of trust interest in the year
1				
2				
3				
4				

5. Real Property Outside Canada

Description of real property	Country where property is situated	Cost amount at year end	Income received in the year	Gain or loss realized in the year from the disposition of an interest in the property
Condominium, 184, Nga Tsin Wai Rd., 5/F, Kowloon, Hong Kong	Hong Kong	$80,000	$3,000	0

6. Other Tangible Property Outside Canada

Description of tangible property	Country where property is held or situated	Cost amount at year end	Income received in the year	Gain or loss realized in the year from the disposition of an interest in the property

7. Intangible Property Outside Canada

Description of intangible property	Country where property is held	Cost amount at year end	Income received in the year	Gain or loss realized in the year from the disposition of an interest in the property

PART III – WHERE REPORTING TAXPAYER IS A PARTNERSHIP

Name of the partnership	
Country under whose laws the partnership is governed	
Purpose or activity of the partnership	

Identify Partners		Business Number or SIN	Share or entitlement to partnership income or loss
Name	Address		

Printed in Canada

DRAFT

表 7.2 (1)　T1134 海外附屬企業資訊呈報表

SCHEDULE 3

Revenue Canada　Revenu Canada

T1134(E)

INFORMATION RETURN RELATING TO FOREIGN AFFILIATES

DRAFT

Please see the Guide for instructions on how to complete this return.
There are penalties for failing to file this return. See the Guide.
The reporting taxpayer has to complete a **separate** return for each foreign affiliate.
References on this return to **the foreign affiliate** or **the affiliate** refer to the foreign affiliate in respect of which the reporting taxpayer is filing this return.
If the reporting taxpayer is a partnership, references to **year** or **taxation year** of the reporting taxpayer should be read as **fiscal period.**

PART I – IDENTIFICATION

SECTION 1 – Reporting Taxpayer Information

Name		Address	
Reporting taxpayer is ☐ an individual ☐ a corporation ☐ a trust ☐ a partnership			
Social insurance number	Corporation account number or single business number		Trust account number
What is the reporting taxpayer's taxation year for which this form is being filed? From (Day Month Year) To (Day Month Year)			

SECTION 2 – Corporate Group Structure - Attach a separate page with the following information

A. List the name and country of residence of each corporation (other than another foreign affiliate of the reporting taxpayer) that is related to the reporting taxpayer and that has an equity percentage (as defined in subsection 95(4) of the Act) in the foreign affiliate.
B. If the reporting taxpayer is a partnership, list the name and address of each member of the partnership.
C. List the name and country of residence of each other foreign affiliate of the reporting taxpayer that has an equity percentage in the foreign affiliate.
D. List the name and country of residence of each other foreign affiliate of the reporting taxpayer in which the foreign affiliate has an equity percentage.
E. List the name and address of each partnership of which the foreign affiliate is a member.
Note: You may satisfy the requirements of items A to E by submitting a corporate group organizational chart that includes the requested information.
F. List the name and country of residence of each non-resident corporation for which the foreign affiliate conducted activities and included any of the resulting income in its income from an active business because of subparagraph 95(2)(a)(i) of the Act.
G. List the name and country of residence of each non-resident corporation from which (or from a partnership of which such a non-resident corporation is a member) amounts are paid or payable, directly or indirectly, to the foreign affiliate (or a partnership of which it is a member) if the foreign affiliate included any of the resulting income in its income from an active business because of subparagraph 95(2)(a)(ii) of the Act.
H. List the name and country of residence of each non-resident corporation from which the foreign affiliate (or a partnership of which it is a member) acquired trade accounts receivable, loans, or lending assets if any of the income resulting from such properties is included in its income from an active business because of subparagraph 95(2)(a)(iii) or (iv) of the Act.

PART II – FOREIGN AFFILIATES

SECTION 1 – General Information
A. Identification of Foreign Affiliate

Name		Address of head office	
Date of incorporation (or settlement) Day Month Year	Date on which the corporation or trust became a foreign affiliate of the taxpayer Day Month Year		Date on which the corporation or trust ceased to be a foreign affiliate of the taxpayer (if applicable) Day Month Year
Country under whose laws the foreign affiliate was formed or continued, and exists and is governed		Principal place of business	
Location of books and records		Country of residence	
Provide a brief description of the foreign affiliate's major business activity or activities.			
Have these activities changed since the last return was filed? ☐ Yes ☐ No			

B. Capital Stock of Foreign Affiliate

Class reference number	Description of each class of shares of the foreign affiliate's capital stock	Number of shares of that class issued and outstanding at year end
1		
2		
3		
4		
5		

Ce formulaire existe aussi en français.

表 7.2 (2) T1134 海外附屬企業資訊呈報表

Class reference number	Provide, for each class, the name of each shareholder that is the reporting taxpayer, another foreign affiliate of the reporting taxpayer, or a corporation related to the reporting taxpayer	Shareholder's country of residence	Number and total adjusted cost base (ACB) of shares			
			Beginning of year		End of year	
			No.	ACB	No.	ACB

What was the reporting taxpayer's equity percentage in the foreign affiliate at the beginning of the reporting taxpayer's taxation year? ____________

What was the reporting taxpayer's equity percentage in the foreign affiliate at the end of the reporting taxpayer's taxation year? ____________

Did the reporting taxpayer have a qualifying interest in the foreign affiliate throughout the foreign affiliate's taxation year(s) that ended during the reporting taxpayer's taxation year? Yes ☐ No ☐

If the Act were read without paragraph 95(2.2)(a), would the reporting taxpayer have had a qualifying interest in the foreign affiliate throughout the foreign affiliate's taxation year(s) that ended during the reporting taxpayer's taxation year? Yes ☐ No ☐

If the foreign affiliate is a non-resident trust, what is the number of shares that the reporting taxpayer or a controlled foreign affiliate of the reporting taxpayer is deemed (because of paragraph 94(1)(d) of the Act) to own in the trust at the end of the trust's last taxation year that ended in the reporting taxpayer's taxation year? ____________

SECTION 2 – Financial Information of the Foreign Affiliate

A. Financial statements

For each taxation year of the foreign affiliate ending in the reporting taxpayer's taxation year, provide the affiliate's unconsolidated financial statements. If independant auditors have attested to such financial statements, or the statements have been presented to the shareholders of the affiliate or the members of the partnership, include those statements. If the statements are not presented in Canadian currency, identify the currency used: ____________

Financial statements should include:
- a balance sheet
- an income statement
- notes to the financial statements
- the auditor's opinion, if available

and, where required under the accounting practices of the country of residence of the foreign affiliate, or otherwise available to the shareholders of the foreign affiliate:
- sources and uses of funds
- the variation in shareholders' equity from the preceding year

B. Income summary

Provide the following information in respect of the foreign affiliate's income for each taxation year of the affiliate that ended in the reporting taxpayer's taxatio year.

	Revenue		Expenses
Sales of goods		Cost of goods sold	
Sales of services		Wages and salaries	
Sales or licensing of intangible property		Depreciation	
Interest income		Interest expense	
Other		Provision for taxes	
		Other	
Total		Total	
Net income after foreign income or profits tax			

DRAFT

表 7.2 (3)　T1134 海外附屬企業資訊呈報表

Provide the following information:

Countries where the foreign affiliate is resident or has a permanent establishment (Indicate resident with an "R" or permanent establishment with a "PE")	Income	Taxes on income (other than withholding taxes)

SECTION 3 – Surplus Accounts

1. Did the reporting taxpayer, at any time in the taxation year, receive a dividend (including a dividend deemed to have been received by the reporting taxpayer under subsection 93(1) of the Act) on a share of the capital stock of the foreign affiliate in respect of which an amount is deductible from the income of the reporting taxpayer under subsection 91(5) or section 113 of the Act?

   Yes ☐　　No ☐

   If *Yes* and the reporting taxpayer is a corporation, the reporting taxpayer must provide detailed and descriptive calculations of the exempt surplus, exemp deficit, taxable surplus, taxable deficit, and underlying foreign tax of:
   - the affiliate;
   - each other foreign affiliate of the reporting taxpayer in which the affiliate has an equity percentage; and
   - each other foreign affiliate of the reporting taxpayer that has an equity percentage in the affiliate;

   in respect of the reporting taxpayer as at the end of each affiliate's last taxation year ending in the reporting taxpayer's taxation year.

2. At any time in the taxation year of the reporting taxpayer, was the reporting taxpayer or any foreign affiliate of the reporting taxpayer involved in a corporat or other organization, reorganization, amalgamation, merger, winding-up, liquidation, dissolution, division, or an issuance, redemption, or cancellation of share capital or a similar transaction in a manner that effected the exempt surplus, exempt deficit, taxable surplus, taxable deficit, or underlying foreign ta of the affiliate in respect of the reporting taxpayer?

   Yes ☐　　No ☐

3. At any time in the taxation year of the reporting taxpayer, did the reporting taxpayer or another foreign affiliate of the reporting taxpayer acquire or dispose of a share of the capital stock of the foreign affiliate?

   Yes ☐　　No ☐

If the answer to either question 2 or 3 is *Yes*, provide a detailed description of each transaction or event.

PART III – CONTROLLED FOREIGN AFFILIATES

Complete Part III if the foreign affiliate is a controlled foreign affiliate of the reporting taxpayer.

SECTION 1 – Employees per Business

How many full-time employees or employee equivalents (as described in subparagraph (b)(ii) of the **investment business** definition in subsection 95(1) of the Act) on a business by business basis, did the foreign affiliate employ throughout each taxation year of the affiliate ending in the reporting taxpayer's taxation year?

Business ________________ Number of employees ________ Number of employee equivalents________________

Business ________________ Number of employees ________ Number of employee equivalents________________

SECTION 2 – Composition of Income

Provide the amount of the foreign affiliate's gross revenue for each of the affiliate's taxation years ending in the reporting taxpayer's taxation year, derived fror each of the following sources.

Source	Foreign affiliate's gross revenue
Interest	
Dividends	
Royalties	
Rental and leasing activities	
Sales of goods	
Provision of services	
Insurance or reinsurance of risks	
Factoring of trade accounts receivable	
Disposition of investment property	
Other sources (specify)	

DRAFT

表 7.2 (4)　T1134 海外附屬企業資訊呈報表

SECTION 3 – Foreign Accrual Property Income (FAPI)

Did the foreign affiliate earn FAPI in any taxation year of the affiliate that ended in the reporting taxpayer's taxation year? Yes☐ No☐

If *Yes*, provide the reporting taxpayer's total participating percentage in respect of the foreign affiliate for that year:

Also, provide the amount of FAPI the affiliate earned that year in respect of each of the following:	Amount
Total FAPI	
FAPI that is income from property under section 95 of the Act	
FAPI from the sale of property under paragraph 95(2)(a.1) of the Act	
FAPI from the insurance or reinsurance of risks under paragraph 95(2)(a.2) of the Act	
FAPI from indebtedness and lease obligations under paragraph 95(2)(a.3) of the Act	
FAPI from indebtedness and lease obligations under paragraph 95(2)(a.4) of the Act	
FAPI from the provision of services under paragraph 95(2)(b) of the Act	
FAPI from the disposition of capital property	
FAPI under the description of C in the definition of FAPI in subsection 95(1) of the Act	

SECTION 4 – Capital Gains and Losses

A. Excluded property
Did the foreign affiliate dispose of capital property that was excluded property in a taxation year of the affiliate that ended in the reporting taxpayer's taxation

Yes☐ No☐

If *Yes*, describe each capital property disposed of, and provide the affiliate's proceeds of disposition, adjusted cost base of the property, and any capital gain capital loss realized on the disposition.

Description of property	Proceeds of disposition	Adjusted cost base	Capital gain or (loss)

B. Property that is not excluded property
Did the foreign affiliate dispose of capital property that was not excluded property in a taxation year of the affiliate that ended in the reporting taxpayer's taxati year?

Yes☐ No☐

If *Yes*, describe each capital property disposed of, and provide the affiliate's proceeds of disposition, adjusted cost base of the property, and any capital gain capital loss realized on the disposition.

Description of property	Proceeds of disposition	Adjusted cost base	Capital gain or (loss)

SECTION 5 – Income Included in Income from an Active Business

A. Was income of the foreign affiliate that would otherwise have been included in its income from property included in its income from an active business:		
• because of paragraph 95(2)(a) of the Act?	Yes ☐	No ☐
• because of the type of business carried on and the number of persons employed by the foreign affiliate in the business pursuant to paragraphs (a) and (b) of the definition of investment business in subsection 95(1) of the Act?	Yes ☐	No ☐
• because of one or more other reasons? (If *yes*, please provide a detailed explanation on an attached page.)	Yes ☐	No ☐
B. Was income of the foreign affiliate that would otherwise have been included in its income from a business other than an active business included in its income from an active business:		
• because of the 90% tests in paragraphs 95(2)(a.1) through (a.4) of the Act?	Yes ☐	No ☐
• because of one or more other reasons? (If *yes*, please provide a detailed explanation on an attached page.)	Yes ☐	No ☐

Printed in Canada

DRAFT

表 7.3 (1) T1141 移轉予非居民海外信託資訊呈報表

Revenue Canada / Revenu Canada

SCHEDULE 1

INFORMATION RETURN IN RESPECT OF TRANSFERS TO NON-RESIDENT TRUSTS

T1141(E)

Please see the Guide for instructions on how to complete this return.
There are penalties for failing to file this return. See the Guide.
Provide amounts in Canadian dollars.

DRAFT

OBLIGATION TO FILE

This form in respect of a non-resident trust is generally required to be filed by a person where the person or a foreign affiliate of the person has transferred or loaned property to the trust or a non-resident corporation controlled by the trust.

Refer to the Guide and the *Income Tax Act* for more details about the obligation to file a return.

PART I – IDENTIFICATION

SECTION 1 – Reporting Person

Name	Address	
Reporting taxpayer is ☐ an individual ☐ a corporation ☐ a trust		
Social insurance number	Corporation account number or single business number	Trust account number

SECTION 2 – Reporting Period

If the non-resident trust has a fiscal period, the reporting period for the purposes of this return will be the same as the fiscal period of the trust.

If the non-resident trust does not have a fiscal period, the reporting period for the purposes of this return will be the same as the taxation year of the reporting person.

Is this the first year that you have filed this return for this trust? Yes ☐ No ☐

If *No*, does the reporting period for this year begin and end on the same dates as last year? Yes ☐ No ☐

If *No*, why has the reporting period changed? ____________

To which reporting period does this return apply?

From ____ (Day Month Year) To ____ (Day Month Year)

SECTION 3 – Non-Resident Trust Information

Name of trust

Name of trustee, executor, or administrator

Mailing address of trustee, executor, or administrator | Telephone number ( ) | Postal code

Residence of trust at end of taxation year

Under the laws of which country is the trust governed?

Persons with whom the trustee has to consult before the trustee can exercise any discretionary powers

Name ____________

Address ____________

Name ____________

Address ____________

Persons who have any powers relating to the trust, including:
- the power to change the governing law or situs of the trust;
- the power to veto distributions of capital or income; and
- the power to remove existing trustees and appoint new ones.

Name ____________

Address ____________

Name ____________

Address ____________

Attach the following documents to the information return.

- If this is the first year for filing the return, a copy of the trust documents, including terms of the trust, memorandum of wishes, and any subsequent variance to the original trust documents.
- If a previous information return has been filed, a copy of any trust documents that have been changed or created since the previous reporting period.
- If the foreign trust prepares financial statements, a copy of the financial statements for the reporting period.

Where the original documents are not written in English or French, they must be translated into English or French at the request of Revenue Canada.

Ce formulaire existe aussi en français.

表 7.3 (2)　T1141 移轉予非居民海外信託資訊呈報表

SECTION 4 – Settlor(s) of Trust

Name of settlor(s)	Address of settlor(s)

SECTION 5 – Specified Beneficiaries of Trust

Name of specified beneficiaries	Address of specified beneficiaries

PART 2 – TRANSACTIONS

SECTION 1 – Reporting Requirements

Was a transfer or loan to the foreign trust that gave rise to an obligation to file this return made before 1991?　Yes ☐　No ☐

If *Yes* indicate the year of the earliest such transfer or loan ________________

- **Report only transactions that occurred after 1990 in Sections 2 and 3 below.**
- **If one or more prior information returns have been filed, include only transactions that have not been previously reported in Sections 2 and 3 below.**

SECTION 2 – Summary of Transfers and Loans Before the End of the Reporting Period to the Trust and each Non-resident Corporation Controlled by the Trust

Name and address of transferor or creditor	Description of property transferred or loaned	Year of transfer or loan	Amount

SECTION 3 – Summary of Distributions from the Trust Before the End of the Reporting Period

Name and address of recipient	Description of property distributed	Value of property

SECTION 4 – Summary of Non-arm's-length Persons Indebted to the Trust at the End of the Year

Name and address of non-arm's length person	Description of indebtness	Amount of indebtness

SECTION 5 – Summary of Persons to Whom the Trust or a Non-resident Corporation Controlled by the Trust is Indebted at the End of the Year

Name and address of person	Description of indebtness	Amount of indebtness

Printed in Canada

DRAFT

表 7.4 T1142 由非居民信託收受分配及舉借債務資訊呈報表（範例）

Revenue Canada / Revenu Canada

SCHEDULE 4

INFORMATION RETURN IN RESPECT OF DISTRIBUTIONS FROM AND INDEBTEDNESS OWED TO A NON-RESIDENT TRUST

T1142

Please see the Guide for instructions on how to complete this return.
There are penalties for failing to file this return. See the Guide.
Provide all amounts in Canadian dollars.

DRAFT

PART I – TAXPAYER INFORMATION

Name: K. P. MA

Address: 1763 WEST 16th Ave., Vancouver, B.C.

Reporting taxpayer is ☑ an individual ☐ a corporation ☐ a trust ☐ a partnership

Social insurance number: 728 655 431

Corporation account number or single business number:

Trust account number:

What is the reporting taxpayer's taxation year or fiscal period for which this form is being filed?

From 01 (Day) 01 (Month) 96 (Year) To 31 (Day) 12 (Month) 96 (Year)

PART II – DISTRIBUTIONS FROM A NON-RESIDENT TRUST

Complete this part if the reporting taxpayer has received, at any time in the taxation year or fiscal period, funds or property from a non-resident trust.

Property received is			Nature of receipt for Canadian income tax purposes (Check appropriate box)	
Funds	Other Property			
Amount	Description	Fair market value	Income	Capital
$5,000				✓

PART III – INDEBTEDNESS OWED TO A NON-RESIDENT TRUST

Complete this part if the reporting taxpayer, at any time in the taxation year or fiscal period, is indebted to a non-resident trust.

Debt	Date incurred	Principal amount	Unpaid principal amount at end of year or period	Interest rate (per annum)	Was interest actually paid on the debt in the year or period (yes/no)?
1					
2					
3					
4					
5					

Printed in Canada

(Français au verso)